JN023285

# 教えない勇気

## 非認知能力を磨く 沖縄発・frogsプログラム

株式会社FROGS
CEO
山崎暁

# はじめに

この本をお手にとってくださり、ありがとうございます。私は、沖縄発の人「財」育成プログラム「ｆｒｏｇｓプログラム」を実践する株式会社ＦＲＯＧＳのＣＥＯ・山崎暁と申します。

「人『財』ってどういうこと？　人『材』じゃないの？」と疑問を持たれる方も多いのですが、私たちは未来の財産になるような人「財」を育んでいるので、「人財」の表記にこだわっているのです。

この世界にイノベーションを起こしたい！　既存の枠に囚われない活躍がしたい！　という、学年も専攻も異なる志の高い若者（中学生・高校生・大学生まで）を一同に集め、アントレプレナーシップをはじめとする「非認知能力」を磨く学びを繰り広げています。

「非認知能力」とは、第一章でも詳しく説明しますが、単に正解だけを求めるのでなく、予測不能な時代をしなやかに逞しく生き抜く、人間にとっての本質的なスキルです。

私たちの育成手法では、従来の日本の学校教育の枠の中では十分に伸ばしきれない、この非認知能力の開発を非常に重要視しています。

ｆｒｏｇｓの取り組みは、あるＩＴ企業代表の想いに応えようと仲間が集まり、２００８年に産声をあげました。歴史的背景からも多くの地域課題を抱える沖縄だからこそ、イノベーションの地・シリコンバレーに学び、若者たちに未来を切り拓く感性を育むことはできないか。そして、「人財育成こそ、未来そのもの」「どんなにTechnologyが進化しても最後は〝人〟の力」との想いにたどり着き、絶えずブラッシュアップを繰り返しながら、今日まで進化し続けてきました。

気づきを重視した「教えない育成」・ＰＢＬ(Project Based Learning)、世界で活躍する起業家・投資家・エンジニアとのセッション、地域を巻き込んだ都市型フェスティバル（ＬＥＡＰ　ＤＡＹ）など、半年間に渡る刺激的な学びが、学生の枠を越えた学生を育てています。卒業生たちはさまざまな分野で頭角を現し、ｆｒｏｇｓは、今や沖縄の地域に一石を投じる存在にまで成長できたと自負しています。

今回、この本を書いた理由は、沖縄以外のさまざまな地域でこのプログラムを実施したいと考えている人に私たちの想いを届けたいと思ったからです。（※2024年1月時点、常陸ｆｒｏｇｓ（茨城県）、Ｅｚｏ ｆｒｏｇｓ（北海道）・宮崎ｆｒｏｇｓ（宮崎県）にて展開中）

日本の各地域で、非認知能力が磨かれ、未来を生き抜く力を備えた人財が育っていくことで、地域、国、さらには地球の未来が明るく拓けると信じています。

「地域も時代も変わっていくのに、今の教育のままでいいのだろうか？」「若者の未来のために、大人の側こそ変わらないといけないのでは？」

あなたが少しでもそう考えたことがあるなら、この本がきっと役立ちます。

特に、よりよい未来を望む学校関係者や保護者の皆さん、地域企業の方々、さらに、「ｆｒｏｇｓメンター（伴走支援者）になり、志高く学ぶ若者たちに寄り添いたい」という意欲がある方には、大きな力となるはずです。

私たちが培ってきた人財育成の手法や事例を、ここに惜しみなくお伝えします。

加えて、「ｆｒｏｇｓプログラム」の「ｆｒｏｇｓ」の由来ですが、ここで学ぶ人は「井の中の蛙、大海を知らず」の諺のようになるのでなく、むしろ「大きな視野を持ち、果てしなく広がる未来に飛び出す人になってほしい」、そんな想いを込めています。また、株式会社ＦＲＯＧＳの「ＦＲＯＧＳ」には、別の意味合いを持たせました。それが以下の頭文字です。

【Ｆ】Futuristic・・・未来的で、時に奇抜である
【Ｒ】Radical・・・革命的で、刺激的である
【Ｏ】Open-minded・・・開かれた心で、新しい思想を取り入れる
【Ｇ】Global-thinking・・・境界線にとらわれない、全世界的思考である
【Ｓ】Social influential・・・社会に影響力がある

このような私たちの想いや、めざすビジョンも、この本を通じて、併せて知っていただければ幸いです。

株式会社ＦＲＯＧＳ 代表取締役／ＣＥＯ 山崎 暁

## 目次

第二章

## frogs流「教わる」よりスゴい「気づき」とは⁉



第三章

## frogs人財育成ビフォーアフター

第四章

## 人生経験豊富な人ほど、frogs Organizerに向いている



第五章

## シリコンバレーの風を沖縄に、日本に！　FROGS設立秘話

第六章

## ｆｒｏｇｓプログラムで「学生を超えた学生」を育てよう

# 第一章

# 予測不能な未来を生き抜くために、非認知能力を磨こう！

## これからの時代に求められるのは、「非認知能力」

この本を読んでいるあなたは、きっとこれからの時代の「人づくり」に強い関心を持っていることでしょう。そして、「今までの教育の枠には収まらない学びが必要なんじゃないか」「変わっていく時代に、人を育てる側も変わる必要があるのでは」そんな疑問を持っているかもしれませんね。

若者の教育を行うには、さまざまな場やアプローチがありますが、私たちが最重要視しているのは、「非認知能力の開発」です。

私たちは、若者に学年を越えた学びの場を提供し、英語やプログラミング、世界で活躍する起業家・投資家・エンジニアからの講義など個性的な教育を行っていますが、単に技術や知識としてそれらを教えているわけではありません。これらは全て、人間の本質的な生き抜くための力、すなわち「非認知能力」を伸ばすための学びなのです。

「非認知能力」と「認知能力」。この2つは教育に携わる仕事をしている人には耳慣れたキーワードですが、きっと教育関係者を越えて、人財育成に関心のある幅広い方が本書を読んでくださっていると思いますので、言葉の意味を簡単にご説明します。

「認知能力」とは、学校の試験や知能検査など、数値で計ることができる能力のことです。

一方、「非認知能力」とは、主体性やグローバル力、対人スキルやモチベーションの高さなど数値で計ることが難しい能力のことです。

これまでの教育では、認知能力が高い人＝優れた人という社会の認識がありました。つまり、知能検査のスコアが高いと偉い、学校のテストでいい成績を収めいい大学に行くのが偉い、という価値観です。子どもの頃、「とにかく勉強しなさい」「勉強すれば未来が約束されるよ」と親や教師に言われ、それを信じてきた人も多いのではないでしょうか。

そこで私たちが「非認知能力を伸ばす！」と言うと、認知能力を軽んじていると誤解する教員の方や親御さんがいらっしゃるのですが、そうではありません。

学力があるからこそできる発想や、手に入る環境、そして受験合格に向けて知識を蓄え努力することが、全く無駄だと言いたいのではないのです。

ただ、数字で計れるわかりやすいものに囚われすぎた結果、人間としての大事な資質を見過ごしてきたことには問題があります。周りの大人から数字を追うことばかりを求められると、若者たちは往々にして「自分から学びたい、知りたい！」という学問の本質を見失ってしまいます。

その証拠に、あなたの周りにも「子どもの頃、学ぶ意味を知っていればもっと真剣に勉強したのに」と悔やしそうに言う大人はいませんか？　また、子どもたちが「何のために勉強するの？」「将来にどう役立つの？」「いい学校、いい企業って大人は言うけど、それだけが人生なの？」など、不満をこぼしモチベーションを見失うのも、よく見られる光景です。そんな時、若者たちのそばにいる先生やご両親は何と答えられるでしょう。「これが社会の常識なんだよ」という説明では、彼らは納得しないと思います。

そこで重要なのが、常識に囚われず自らこの世界を考え、やりたいことを選び、目的達成のためにさまざまな努力や人を巻き込んで大きくなれる力、すなわち「非認知能力」です。この非認知能力を磨くからこそ、対になる認知能力も伸びていきます。

想像してみてください。「やらされて渋々勉強している学生」と、「やりたいことに必要だから積極的に知識を修得する学生」、試験を受けたら、どちらの学生の点数が高くなると思いますか？　ほとんどの場合、後者でしょう。

このように、認知能力を活かすスキルこそが、非認知能力であり、まさにこれからの時代を生き抜くために非常に重要な力なのです。

## 認知能力を磨くと、こんな成長がある！

非認知能力を重視した学びで、若者はどんな成長を遂げるのでしょうか？　ｆｒｏｇｓに参加した学生でよく見られるケースが、先生や親が勧めなくても、自らの決断で難易度の高い学校の受験に挑んだり、海外留学へ飛び立ったり、時には休学・中退という選択をしてでも起業をはじめとする、枠を飛び越えたことにチャレンジするという成長です。

非認知能力を磨くと、「教わることに頼らない、気づく力」が育まれます。その中で、自己と向き合い、問いを見つけ、チャレンジングな大人たちや同世代の間で揉まれることで、内的なモチベーションが大きく育ちます。

進学でも留学でも起業でも、やりたいことをやるためには、試験をパスしたり、具体的な知識やスキルが必要ですよね。そのためにテストの点数をあげる努力をしたり、資格取得のために学び始めたりと、高い非認知能力があるからこそ認知能力を磨くことも継続でき、結果的に数字で計れる力も伸びるのです。

人間には元来、新しいものを知りたい、学びたいという好奇心や知識欲があります。ですから、私たちの行う育成法は、新たな能力を外から植え付けるというよりは、若者一人ひとりが生まれながらに持つ力を引き出すために、さまざまな視野や体験を提供する、そんなイメージです。

これまでのような、試験の結果だけを急ぎ、一人ひとりの非認知能力を置き去りにするような教育では、学生たちが学ぶことそのものを嫌いになりかねません。点数だけを追い求める学びに意義を見いだせず、やる気が萎んでいくからです。

特に、ChatGPTなどＡＩが注目される今、Society5.0、ＤＸ、ＧＩＧＡスクール構想導入などが学校にも持ち込まれていますが、ただプログラミングスキルを詰め込むだけの学びになっては、逆にＩＴアレルギーになる子どもが出てくるでしょう。

グローバルな感性もこれからの時代に必須ですが、教え方を間違うと「英語の試験の点数はよくても、根本的な異文化理解やコミュニケーションができない」学生を増やすことになり、本末転倒です。

私たちのｆｒｏｇｓプログラムにも、ＩＴやグローバルの学びを盛り込んでいますが、非認知能力を伸ばすことを軸にしているので、ただ点数を取るだけ、覚えるだけのようなことは絶対にしません。

それらを知ることで、どう自己と向き合うか、どんなふうに自分や地域の未来に活かしていけるのかに広い視野で気づくことを、私たちは大切にしています。

## 変化する時代、若者に「生き抜く力」を！

非認知能力は人間にとって本質的に重要な力ですが、特にこれからの時代に重要度がますます増していきます。

一番の時代の変化は、何だと思いますか？　私は、テクノロジーの急速な進化だと捉えています。シンギュラリティ時代の到来と言われて久しいですが、一つのコンピューターの能力が地球上全人類の脳を超えるスペックになる時代が、もうすぐそこに来ています。

認知能力重視の歴史の中で、人は正解と不正解で測定することをひたすら訓練してきました。ところが、コンピューターの能力の高まりに伴い、正解と不正解を人間よりも高い精度で判断できる人工知能が現れつつあります。

実際に、ChatGPTがＭＢＡの最終試験やアメリカ医師資格の試験に合格したとか、ChatGPT-4に至っては、司法試験に合格できるレベルに達したなどのニュースが報道されています。生成ＡＩ系も各分野で爆誕しており、人間がやること、ＡＩができることの線引きが、日進月歩で刷新されています。音声のみでＡＩと会話ができるようになり、賢い友人が常に自分の横にいるような状況となりました。つまり、人間とＡＩが共存するフェーズに突入したと言っていいでしょう。

これからは、ＡＩなどのテクノロジーを正しく理解し、それに仕事を任せたり、活用するスキルのほうが大切になります。それはつまり、人間にしかできない「自ら考える力」や「創造性」。これらは、非認知能力を磨くことで得られるものです。

では、人間ならではの強みとして発揮できるスキルとはどういうことでしょう。私はそれを以下の４つだと考えます。

### 1　現実世界を理解し意味づけできる感性、倫理観

ビッグデータから分析された可能性や確率だけでなく、感性や倫理観で判断する能力。

### 2　板挟みや想定外の状況と向き合い、調整する力

ストレスフルな状況でも、理論理屈だけではない、心や感情、ビジョンや共感力を持って調整する能力。

## 3　責任を持って遂行する力

統計分析などで理論上では確率が低かったとしても、自分を信じて諦めずにやり抜く力。

## 4　ゼロから生み出す力

入力データがない分野は、コンピューターが一番苦手。前例のないことを果敢にやりきる力や、ゼロを1にする力。

まさに、非認知能力で、認知能力が最大限に活かされた時に生まれる力ばかりですね。これらがなければ、これからの予測困難な時代を生き抜く人になるのは難しいと言えるでしょう。

また、政治も企業も学校も、社会全体がヒエラルキーの管理型大衆社会から、個の集合体社会へと変容している時代背景も大きく関わっていると思われます。身近な例でいうと、「メディア」も、新聞やテレビなど大衆に向けられたものだけでなく、SNSによる個人の発信が影響力を持つなど、社会全体の多様性が急速に拡大しています。

つまり、幸せの定義がひと昔前と大きく変化したのです。他人と比べるのではなく、個々の幸せの価値観が重視される時代がやってきました。戦後の一億総中流社会をめざす中で、出世して所得を上げ、家や車を買い、子どもをいい学校に行かせ、大企業に就職させる、それが幸せなんだという同調圧力が日本に蔓延しました。

けれどそんな一辺倒の幸福を求めるやり方が、今の時代に合わなくなってきたのかもしれません。さまざまな人たちが、生きづらさと多様性を訴えることが増えているのがその証拠です。

そこで、最近数十年ぶりに注目されているキーワードが「Well-being（ウェル・ビーイング）」です。身体の健康だけを指すのでなく、肉体的にも、精神的にも、社会的にも満たされた状態であることを指す言葉です。

私はこのWell-beingに個人が到達するには、以下の3つのスキルが必要だと考えました。

## 1 自律性

自分の人生は短期的にも長期的にも自分の意思や決断によるものだという実感があるか。

## 2 有能感

辛い時、困難な時でも、根拠とは無関係に、自分はこれを乗り越えられる力がある、と信じられるか。

## 3 社会関係性

他人や社会に対し、求め求められ、感謝し感謝されていることを実感できているか。

このように、ＡＩの急激な進化、そして、個の充実を社会が強く求めるようになったWell-beingの時代に、若者の非認知能力を磨くことの意義をご理解いただけたでしょうか。学校では教わることのできない「生き抜く力」を、今の若い人たちは、自分の中から引き出し磨く必要があるのです。

## 22 個の非認知能力が、「生き抜く力」を創る！

実は以前から非認知能力は、日本の各機関で定義づけされてきました。１９９６年には文部科学省が「生きる力」として、２００３年には内閣府が「人間力」として、２００６年には経済産業省が「社会人基礎力」として、直近では２０２０年に文部科学省が「生きる力」として再定義するなど、それぞれの見解で定義しています。

しかし、人を育てることは、10年・20年先の未来を創ることを見据えたものであるため、時代に合わせて定義も進化させていく必要があると思います。

iPhoneが日本に上陸したのが２００８年です。ＤＱ（デジタル知能指数）が一般の人に求められるようになってからまだ十数年足らずです。ですから、これからますます時代はシンギュラリティに向けて進化するであろうことを前提に、ｆｒｏｇｓの実践とそのフィードバックから生まれたｆｒｏｇｓ流の「非認知能力の定義」をお知らせしたいと思います。

まず、これからの未来を生き抜く人が必要なスキルを総称して「自立した人格を持つ人間として、他者と協働しながら、新しい価値を創造する力」と定義します。そのスキルを構成する7つの要素として以下があります。

**①主体性・自律性に関わる力**
**②持続可能な社会を創造する実践力**
**③課題解決力**
**④学びに向かう力**
**⑤情報活用能力**
**⑥グローバル対応力**
**⑦対人関係能力**

これらの要素を育む際に、相互に作用し合い磨かれる力を、ｆｒｏｇｓはさらに22の要素に定義しました。私たちがｆｒｏｇｓ発足の２００８年から今に至るまでの間に、実際に若者と関わりながらブラッシュアップしていった要素です。

## 1 アントレプレナーシップ

従来の慣習やルールに流されることなく、常によりよい未来のために最善策を見つけ、実際に周囲を巻き込みながらイノベーションを起こす力。

## 2 あきらめない力

失敗や批判があっても、学びを繰り返しながら一定の成果を出すまでやり抜く力。

## 3 変化対応力

時代の変化を敏感に察知し、数十年先の未来をイメージしながら変化に柔軟に適応する力。

## 4 リーダーシップ

正しい心と判断力で集団・組織を共創・信頼・感謝の軸で導く能力。

## 5 自己主体性

周囲に流されることなく、自分の意思と価値観を持ち、「誰かが、ではなく自分が」という「考動」ができる能力。

## 6 判断力

何が正しく、何が優先すべきことか、目先や自己の利だけでなく、あるべき世界を描き正しい解を導き出せる力。

## 7 行動力

いろいろ考えて行動を躊躇するのではなく、まずはやってみるという力。

## 8 行動継続力

できない理由や言い訳を先行せず、常にどうできるかを考え続け、行動し続ける力。

## 9 コミュニケーション能力

伝え、聴く力だけでなく、ノンバーバルな手法でも相手の心理や状況を推察する力があり、オープンマインドで相手との信頼関係を築ける力。

## 10 対人関係スキル

異なる相手の意見と自分の意見を建設的に対峙させ、人間関係を保ちながら適切な解を導く力。

## 11 協調性

ただ仲良くなるのではなく、高いゴールやミッション実現のために多様な個々と質の高い調和を図る力。

## 12 表現力

自分の「思い」や「考え」を、伝えたい相手にわかりやすく伝える力。

## 13 プレゼンテーション能力

自分のアイデアや理論・価値観を周囲に伝えるだけでなく、共感と協力・応援を導く伝え方ができる力。

## 14 グローバルシンキング

地域や国レベルではなく全世界的な視点で考動できる力。

## 15 思考力

さまざまな情報や知識を結びつけ、自分なりの新たな解を導き出せる力。

## 16 創造力

既存の発想や習慣にとらわれることなく、客観的な事実や情報分析をもとに、新しい方法や新しいアイデアという「新しい価値」を生み出していける力。

## 17 問題探求能力

生活の中で感じるさまざまな課題を表面的な理解に留めず、自分なりの意見や価値観がアウトプットできるレベルまでその課題に向き合い深掘りする力。

## 18 問題解決能力

解決すべき課題に直面した時、課題が生じている環境に身を投じ、さまざまな意見をもとに仮説を立て解決策を導き出す。その解決策が最善なのかをトライ＆エラーを繰り返しながら周囲を巻き込み解決に向けて実行する力。

## 19 論理的思考

複雑な物事を整理・分析して因果関係を解きほぐし、結論までの道筋を矛盾なくシンプルにわかりやすく示す力。

## 20 プログラミング的思考

大きな問題を細分化したり、頭に描いたことを効率的・論理的にアウトプットでき、具現化して世に出す力。

## 21 情報収集能力

最新情報をキャッチするアンテナが高く、表面的な情報を鵜呑みにせず、自分が欲しい情報を適切な方法（WEB検索や各メディアなど）で取得し取捨選択する力。

## 22 多言語学習意欲

語学を地球人として生きるための力として認識し、知識充足やコミュニケーションに活かそうとする意欲。

以上が、私たちの定義です。この22個の力がお互いに作用することが求められる学びの場だからこそ、ｆｒｏｇｓ生たちの中に、新しい時代を切り拓く「非認知能力」が育ちます。

## 日本の若者は自己評価が低い!?

皆さんは、日本の若者が世界の若者と比べて非常に自己評価が低いことをご存じですか？こちらのデータが、それを物語っています。

なぜこんな結果になってしまうのでしょう。そこで、私なりにその理由を考えてみました。あなたが関わる子どもたちや、あなた自身にとっても、以下の7つの要因のどれかがあてはまるのではないでしょうか？

### 原因①

詰め込み式の学びで正解を求めることばかりに明け暮れているため、みんなと同じ正解を無意

| | 自分を大人だと思う | 自分は責任がある社会の一員だと思う | 将来の夢を持っている | 自分で国や社会を変えられると思う | 自分の国に解決したい社会議題がある | 社会議題について、家族や友人など周りの人と積極的に議論している |
|---|---|---|---|---|---|---|
| 日本 | 29.1% | 44.8% | 60.1% | 18.3% | 46.4% | 27.2% |
| インド | 84.1% | 92.0% | 95.8% | 83.4% | 89.1% | 83.8% |
| インドネシア | 79.4% | 88.0% | 97.0% | 68.2% | 74.6% | 79.1% |
| 韓国 | 49.1% | 74.6% | 82.2% | 39.6% | 71.6% | 55.0% |
| ベトナム | 65.3% | 84.8% | 92.4% | 47.6% | 75.5% | 75.3% |
| 中国 | 89.9% | 96.5% | 96.0% | 65.6% | 73.4% | 87.7% |
| イギリス | 82.2% | 89.8% | 91.1% | 50.7% | 78.0% | 74.5% |
| アメリカ | 78.1% | 88.6% | 93.7% | 65.7% | 79.4% | 68.4% |
| ドイツ | 82.6% | 83.4% | 92.4% | 45.9% | 66.2% | 73.1% |

令和元年11月30日　第20回18歳意識調査　日本財団

識に求めてしまい、自分のアイデンティティーを育めなかった。

**原因②**

年齢や所属や立場の違う、「タテ」や「ナナメ」の関係の人と関わる機会が少なく、年齢や学年という横並びの集団意識が強い。よって、同調圧力を感じやすかったり、周囲から浮くことを恐れ、個性を育めなかった。

**原因③**

学校校則で、個性を表現することに蓋をされてきた。

**原因④**

やりたいことが周囲と違うことだった場合、「今はまず勉強を」「それは大人になってから」など周囲の大人が取り合ってくれず、自己欲求を抑えることを余儀なくされた。

**原因⑤**

小中高と、基本的なキャリア教育を受けてはいるものの、自己と向き合ったり、他人と本気で議論したり、社会の一員として考えたりする場面が少なく、日々の生活において目先の楽しみ（娯楽や遊びなど）を優先して年齢を重ねてしまうため、就職活動などで突然自己分析を始めて、自分の中身が薄いことに気づき、自信をなくしてしまう。

**原因⑥**

何かにチャレンジして失敗することは恥ずかしいと思っている。何もせず無難に過ごしていたほうが、傷つかず楽、というムードが蔓延している。

**原因⑦**

お金を学ぶ機会が少なく、経済社会への興味関心が育たない。ゆえに政治に関心が持てない。他人とそれらをディスカッションすることも少ないので、自己の価値観が育まれない。

他にも理由はあるかもしれません。大人であるあなたも、自分ごととして考えてみてほしいのですが、このままでは日本は、世界的にマンパワーで大きく差をつけられる可能性があります。そこでやはり、内的なモチベーションや、自主性を磨く非認知能力の開発が重要になってくるわけです。

それだけで全てが解消されるわけではありませんが、見える力だけでなく、見えない力を疎かにしない社会に変わるだけで、学校や家庭や社会全体のムードがポジティブに進化し、自分に自信を持てる若者、ひいては世界的にもリーダーシップを発揮できる人財が日本に増えていくと考えます。

## 「夢は何？」子どもに尋ねていませんか？

「夢は何？」「なりたい職業は？」

保護者や先生が子どもに尋ねるのはもちろん、新卒採用の面接などでも定番のこの質問が、実は若者を苦しめています。

明確な夢や目標を持つ若者は、自らその話をしてくるし、実際に行動もしているため、いちいち尋ねなくてもわかるものです。しかし、自分に自信を持てない若者は、無理に答えを用意します。その場を乗り切るために、大人に気を遣うのです。

ですから私たちは、あえて若者に夢やなりたい職業を聞くことをしません。例えば、あなたはこの格言を聞いてどう感じますか？

夢なき者は目標なし／目標なき者は戦略なし／戦略なき者は行動なし／行動なき者は実績なし／実績なき者は自信なし／自信なき者は夢なし

出だしが「夢なき者は～」となっているので、夢がない人はやっぱりダメなんだと解釈する人が多いかもしれませんね。

しかし、私が注目するのは、「自信なき者は夢なし」の部分です。これは、逆から考えれば「自信があれば夢が生まれる」という意味だと私は捉えています。

「なし、なし」が続く負のループを断ち切るものこそ、「自信」である。つまり自信がないうちに適当に夢だけ持っても意味はなく、自信がつく体験をすれば自ずと確かな夢が生まれてくる、そんなメッセージに見えるのです。

これまで多くのｆｒｏｇｓ生と関わってきましたが、中には認知能力（学校の試験の点数）が非常に高く、生真面目に勉強している学生が少なからずいました。しかし彼らが「何のために勉強するのか？　点数を取ることにどんな意味があるのか？」を自ら理解しているかというと実はそうではなく、ご両親や先生に教えられた「勉強ができれば、人生は安泰で、成功者になれる確率が上がるよ」という言葉を、そのまま鵜呑みにしているケースが多かったです。

しかし、これでは真の自信は身につきません。なぜなら、彼らの目標が「いい大学、いい企業に入り、失敗のない人生を送ること」になってしまっているからです。進学や就職は、あくまで自己実現の手段でしかなく「これが本当の夢なのかもわからないのに、とにかく勉強をしている」という状態なのです。

そうすると、自分の心に蓋をして過ごすことになります。だから、どれだけテストで好成績を収めても、あくまで親や先生の価値観をなぞっているだけなので、努力が自分ごとになりません。だから努力のわりに、自分への信頼感が生まれないのです。

真の自信とは、目の前の壁を「自分ごと」と捉え、それに全力で向き合うからこそ生まれるものです。成功も失敗も併せて、活きた経験値が蓄積されるからこそ、確実性の低い物事にも、根拠なく自分を信じて粘り強く取り組めると私は思っています。そのために重要なのが、やはり非認知能力です。

非認知能力が開花すると、自分に向き合う姿勢が生まれます。そこからおぼろげながらでも、進みたい道のヒントが見つかり、自ら行動したくなります。

そんな時、どの教科も満遍なく点数を取っていた学生が、突然偏った成績に変化することがあります。自分自身の興味がよくわかったために、それを集中的に学び、他の教科に時間を割かなくなるからです。

周囲はその変わりっぷりに驚きますが、本人は自分で選択した分野や学び方に自信が持てるようになり、オーラが変わります。その結果、大人たちには思いもよらないようなその学生が自ら選んだ進路に、ガラリと方向転換するのです。

これは非認知能力が伸び、自らを信じるマインドセットが芽生えたことで、自分自身で夢や目標を見つけられるようになったという、とてもシンプルな出来事です。その若者は、大人に言われて漠然と進路を決めていた頃の自分から脱皮したわけです。

ご両親や先生からすると、危なっかしい変貌かもしれません。ですが、若者の気持ちになって冷静に捉え直してみてください。

何のために勉強しているのかもわからず、自分の未来に不安を抱きながら気持ちに蓋をして学ぶ学生と、荒削りではあるものの、自分で決めた夢に向かって失敗を恐れず突き進む若者とでは、どちらが未来を生き抜く力を持っているでしょうか？

これからの時代は、一生の間にさまざまなジョブチェンジをするのが当たり前になると言われています。つまり、「職業」というカタチに限定して夢を決める今の教育の手法では、若者の生き抜く力は育ちません。

自己と向き合い、やりたいことに気づき、それに突き進むしなやかな強さが必要です。だからこそ私たちは、若者の未来に以下のような視点が必要ではないかと考えています。

## 1　自分自身と向き合い、本当にやりたいことは何なのか考えてもらう

これまでのように、なりたい職業が早期に明確な場合、専門スキルを時間をかけて学べるメリットがある。しかし問題なのは、本当にそれをやりたいのかを考えず、就職先の一つのようにその場しのぎで決めてしまう若者が多いこと。Well-beingな人生の重要性を伝え、自分と向き合うことから生まれる想いを引き出したい。

## 2　10年・20年先を広い視野で見通せるようにサポートする

変化が激しい時代を迎え、従来の「終身雇用」が成り立たなくなっている。その職業そのものが5年先、10年先に存在しているのかもわからない今、「未来の仕事はどうなる?」「AIが今よりさらに進化した時に、人間にこそできる仕事は何?」など、広い視野で考えることに寄り添いたい。

## 3　今の成績や興味関心だけで選択肢を絞らず、人生を柔軟に形成していくイメージを持ってもらう

10代前半で文系理系や希望職業を選択するよりも、興味が生まれればいつでも文理横断や職業転換、副業ができる柔軟さが必要。若年期に一生ものの職業選択のプレッシャーを迫るのでなく、

その時の自分の関心に合わせて人生をコーディネートできるキャリア創造性を育みたい。

いかがでしょうか。

もしかしたらこの本を読むあなたは、身近に関わる若者に、「あなたの夢は？」「なりたい職業は？」など聞きたくなる時があるかもしれません。そんな時はぜひ、「今、夢中になっていたり、実際に活動していることはある？」「それのどこが好き？」と言い換えてみてください。

そうです。大切なのは、夢やなりたい職業そのものではなく、今この瞬間に彼らが夢中になれることなんです。非認知能力を伸ばすことで、それらが夢の種となり、芽吹く可能性が大いに高まります。そして、そんな力を引き出せば、いちいち勉強しろと言わなくても、自ずと数字で測れる力が上がっていきます。

なぜなら、本当にやりたいことがあり、自分を信頼していれば、それに必要な勉強を自ら継続するようになるからです。

中には、「夢中になれることなんてない……」と答える若者がいるかもしれません。その時もそれを責めるのでなく、その人の非認知能力を磨くことに寄り添えば、いずれ自分自身で、好きなことや眠っていた想いに気づけるようになるでしょう。

心から情熱を捧げられることに出会い、夢中になった経験こそが、真の夢を生む力になります。だからこそ、私たちのｆｒｏｇｓプログラムが「非認知能力の開発」に重きを置くことがおわかりいただけたかと思います。

# 第二章

## frogs流<br>「教わる」よりスゴい<br>「気づき」とは!?

## ｆｒｏｇｓ流、「やるか・やらないか」の意味

「やるか、やらないか、人生はシンプルにその２つ」

これは、琉球ｆｒｏｇｓをスタートして、５期目から定着したキャッチフレーズです。私たちの間で、脈々と培われてきたカルチャーを何とか端的に表すことはできないか。そんな想いを持っていたところ、あるスペシャルサポーターの方が、講演の中で矢沢永吉さんによるこんな名言を紹介してくれました。

「いつの時代だって、やるヤツはやるのよ、やらないヤツはやらない。昔と今、形が違うだけ、マシーンが違うだけ。凄い奴？　出ますよー。また凄いのが。やるヤツのほうの部類にあなたも入ったら？　って僕は言いたいんだよね」

実に矢沢さんらしい凄みのある言葉ですが、このフレーズを聞いた私は「これだ！」と確信したんです。これは、ｆｒｏｇｓの精神に通じている、と。

非認知能力を磨く際に、大事になるのが「自分と向き合う覚悟」です。そして、何かを本気でやるぞ！　という覚悟が本人の中に生まれてくると、同時にそれに不要なことを「やらない」覚悟がセットで発生します。

「やらない」というのは、場合によっては非常に勇気のいることです。しかし、漠然と全てにおいて当たり障りのない成果を出そうとするよりも、自らの興味が向く分野にとことん本気で向き合う経験こそが、非認知能力を高める上で非常に重要になります。

さまざまなｆｒｏｇｓ生と接してきましたが、プログラム開始直後からこのことが実践できる若者はほぼいません。

彼らはみんな「選ばれたからには、本気で頑張ろう！」という意気込みを持ってはいるのですが、これまでの学校教育での「大人に何かを教えられる」経験が染みついているため、どうしても受け身の姿勢になってしまうのです。

最初はそのことに、自ら気づくことはなかなかできません。彼らにとっては、未知の価値観だからです。

しかしｆｒｏｇｓプログラムを通じて、本気で世界を変えようとしている大人たちや、同世代の若者と接することで、これまでにない気づきを得ます。それは「自分のこれまでの本気は、本当に本気と言えるのだろうか？」という自らへの疑問です。

たとえ困難なことでも「どうすれば、やりたいことが実現できるだろう？」と常に考え続け、湧き上がる想いから行動を起こす人たちと、自分は何が違うのか？　その問いに向き合う中で、「やるか、やらないか。それを決めるのは、自分自身なのだ」というシンプルかつ、当たり前の法則に気づくのです。

そうなると、今までのように受け身のままではいられなくなります。自分の真価が問われることになるからですね。その時に「やるか、やらないか、人生はシンプルにその２つ」、このキャッチフレーズの正しい意味を知るのです。

そこから自分の殻を破り大きく成長するｆｒｏｇｓ生を、私はこれまでにたくさん見てきました。自ら気づき、本気で向き合う。そして、決断する。これこそ、これからの時代の人財に欠かせない力であり、ｆｒｏｇｓプログラムの中に息づくカルチャーだと考えています。

# 若者たちの5つの行動規範、Frogs Core Principles

このように、ｆｒｏｇｓプログラムは、自ら気づき本気で自分自身と向き合うことで大きく成長できる学びです。そして、彼らがめざすのは、アントレプレナーシップを身につけたハイブリッド（＝文理の枠を超えた）イノベーター人財です。

そのために欠かせない思考と言動の基盤を、ここで学ぶ半年間で身につけてほしい。そんな願いを込めて、ｆｒｏｇｓプログラムに取り組む上でのみちしるべになるような私たち独自の行動規範を、ｆｒｏｇｓ生たちに知らせています。

それは5期目が終了した頃のことです。ｆｒｏｇｓプログラムの再構築とさらなる進化のために、運営メンバーで一泊二日の合宿を行う中で誕生しました。当時メンターとして関わっていた池村光次さん、David Shenさん、運営事務局として関わっていた琉球ｆｒｏｇｓ１期卒業生大嶺はづきさん、私という4名で、意見を交わしながら作り上げたのが以下の5ヶ条（Frogs Core Principles）です。

ベースになった考え方は、「やるか、やらないか」という私たちのキャッチフレーズ。それぞれの項目において、「やるべきこと」「やってはいけないこと」の指標を定めています。

## Frogs Core Principles

### 1 Give it a Shot

やるべきこと ＝ まずは自ら進んでやってみる。
やってはいけないこと ＝ 周りを気にして行動に移さないこと。

### 2 Think Big

やるべきこと ＝ グローバルな視点で大きく考える。いろいろな人を巻き込む。
やってはいけないこと ＝ 狭い視点で小さく考える。一人で抱え込む。

### 3 Never Make Excuse and Never Ever Give Up

やるべきこと ＝ 常にどうすればできるか、どうすれば進めるかを考え続ける。
やってはいけないこと ＝ できない理由や言い訳を持ち出してすぐに思考を停止させる。

## 4 Fail Fast. Fail Cheap. Fail Smart.

やるべきこと＝失敗を小さく・早く・沢山する。失敗から学び成長する。
やってはいけないこと＝失敗を恐れ完璧なものをつくろうとして最後に失敗すること。

## 5 Actions Speak Louder Than Words

やるべきこと＝成果を行動と結果で示すこと。
やってはいけないこと＝口ばかりで何も動き出さないこと。

研修の都度、読み上げるような野暮なことはしません。しかし、ｆｒｏｇｓ生の言うことやることに成長の妨げになるものがあった場合には、「Core Principles ってどうだったっけ？ 今の自分と照らし合わせてみると、発見があるかもしれないよ」と、促すようにしています。

私たちは、「絶対にこれを信じないとダメだよ」など強要することはしていません。必要な言葉や価値観を自分で選ぶことも、また大切だからです。

ただ、ここに書いてあることが自分にとって役立つものであるならば、これらの言葉と向き合い、やりたいことをやり抜くための支えにしてほしい、そう伝えています。

すると中には「迷った時にはいつでも見られるように」と、Core Principlesをスマートフォンの待ち受け画像にするｆｒｏｇｓ生もいるほどで、ここで学ぶ若者たちの心の支えとして浸透しているのでは、と感じています。

ところで、この5ヶ条を読むと大人であるあなたもドキッとしてしまうのではないでしょうか。思わず「すでに社会人である自分は、ここにあることがどれだけできているだろうか？」と、我が身を振り返ってしまうかもしれませんね。

実際に、ここに書いてあることを行動に移し、その思考や言動を身につけた若者は、いざ社会人になった時「やるか、やらないか」という視点を持たない大人に出会うと、大きな違和感を覚えると言います。だからこそ、ただ上の人の指示に従うだけでなく、自分自身で「やるか、やらないか」を徹底的に考え抜き、新しい未来を切り拓いていける社会人になれるのです。

ｆｒｏｇｓプログラム自体は、約半年間の短い期間のプログラムではありますが、終了したら忘れてしまうのでなく、彼らのこの先の長い人生の中で、ずっと活かし続けてほしいと考えています。ですから、ｆｒｏｇｓ生が社会に出てからも、この5ヶ条を指針にしているという話を聞くと、私はとても嬉しくなります。

# ｆｒｏｇｓメンターの心得、18ヶ条

そして、若者に寄り添うｆｒｏｇｓメンター（伴走支援者）には、18ヶ条の心得があります。人財育成に携わる大人こそ、若者に非認知能力を育むためのベースとなる考え方をよく理解する必要があるからです。

この18ヶ条には、ｆｒｏｇｓプログラムの「教えない気づかせる育成手法」のエッセンスが詰まっています。ここでは、大人たちも常に自分を振り返り、未来を見据えた視点で、若者に接する努力をしていることが、おわかりいただけると思います。

## ｆｒｏｇｓメンターの心得 18ヶ条

### 1　気づきを重視する。

教えない。
本人がやりたいことをやらせてみて、失敗して気づくのを待つ。教えることはいっときのパワーで、気づきは一生のスキルに。

また一番気づきを得られるのはメンター自身。そこから得られた経験や価値観を糧に、自らをアップデートし続ける。

## 2　自己主体性を重んじる。

やるかやらないかを決めるのは本人。

良くも悪くも得られた結果が気づき教育の大事なポイント。強制はしない。

## 3　ルールや常識で縛らない。

メンター自身が常識で縛られていないか。

過去の常識に囚われず、どうあるべきかを常に同じ目線で考えてあげる姿勢を。

ただし、自由を謳歌したり自己主張するには、義務と権利のバランスが大事。高度な自由を謳歌し主張できる人間に。

## 4　不公平こそ公平。

原因は我にあり。

差がつくのは自分の言動に起因すると気づかせる。不平不満は他責性の始まり。

## 5 覚悟と向き合う。

本気の覚悟に向き合うことが変化のキッカケ。

本気や覚悟を強要せず、本気になれるか、覚悟できるかできないかを、本人が知り気づくことが大事。

## 6 子ども扱いしない。

人間関係は信頼と感謝で構築されることを知ってもらう。年齢・性別・立場関係なく一人の人間としてお互い向き合う姿勢を貫く。子ども扱いせず人間同士の関係で。

## 7 攻めの失敗は、賞賛する。

チャレンジしなければ失敗はない。
だから失敗は賞賛。
攻めない失敗やチャレンジしないことこそ問いかける。

## 8 メンタリングはモチベーションを左右する。

できていることはしっかりと讃え、気づかせる必要があることは的確に伝える。教えない。

本人の決断を促すためにも、気づかせる問いのデザインが大事。

## 9　叱責するのは人として逸脱した時だけ。

自分は傷つきやすいくせに、相手を傷つける言動をする10代。

嘘やごまかし、言い訳、裏切り、仲間の切り捨てなど、人として相応しくない言動があった時のみ、ちゃんと向き合って気づき重視で叱責する。

なぜダメなのかを理解させた上で諭す。感情やその場の流れで叱責しない。

## 10　リアルとネットの世界を健全に管理できる人間に。

DQ（デジタル知能指数）の8つの指標を日常生活で気づかせる。

特に言いづらいことこそリアルコミュニケーション重視で。

言いやすいことはチャットでもOK。言いづらいこと、嫌なことこそ、リアルで伝えるスキルを育む。

## DQ 8つの指標

① Privacy Management
② Critical Thinking
③ Digital Footprints
④ Digital Empathy
⑤ Cyber Security Management
⑥ Cyberbullying Management
⑦ Screen Time Management
⑧ Digital Citizen Identity

## 11 解決したい課題ドリブンで。

使いたいTechnologyや、やりたい企画ありきだけではなく、それがどう社会と接続し、本気で創りたい未来や課題解決につながるかを試行錯誤することこそが原体験創出となり、成長につながる。

## 12 人脈は宝。

人脈は、活かすも殺すも本人次第。スペシャルサポーターや協賛企業のネットワークが当たり前ではない、ということに気づけるチャンスを提供する。

## 13 エコシステムの一人としての自覚を。

企業が、従業員の給与や先行投資に回すべき大切な利益を協賛金として地域学生に投資している重みに気づき、人として感謝の心を養い、長期的なエコシステムを担う使命感を育む。

## 14 未来を見ているか。

若年層の育成は未来そのもの。15歳の人が10年経っても25歳。20年経ってやっと35歳。関わるメンターが未来を見据えた言動をしているか。

## 15 新しいリーダーの資質を。

ヒエラルキーの頂点に立つような縦型社会のリーダーではなく、感謝や信頼前提のもとで共創環境を育める姿勢の重要性に気づかせる。

また役職ではなく役割重視の組織運営ができる未来型リーダーの育成を。資本主義のネクストステージを描ける人財の育成を。

## 16 アンテナを立て続けているか。

メンター自身がさまざまな分野の業界の動きについてアンテナを立てているか。

世界規模での動きについて、引き出しや経験の多さはメンタリングに有効。

## 17 多様性を受容する育成を。

それぞれのスキルセット・個性・思考特性・背景・心境など置かれた状況はさまざま。

状況や段階によって成長ポイントが異なることを理解する。

違うことやできないことにフォーカスするのではなく、良さや強みを引き出し、モチベーションに着火することがメンターの役割。

## 18 Frogs Core Principlesを体現しているか。

メンターは選抜生から、その一挙一動を見られている意識を。メンター自身がFrogs Core Principlesを体現できているかが大事。

# 若者に、答えを「教えて」はいけない

　このようにｆｒｏｇｓプログラムでは、若者にも支える大人にも学びの指針があり、それが独自のカルチャーになっています。では、この風土の中で、若者たちはどんな成長をするのでしょう。

　ｆｒｏｇｓプログラムに参加し始めた若者が、最初にしばしば口にするキーワードとして、「これでいいですか？」「よくわからないんですけれど、どうすればいいですか？」などがあります。もしここが普通の学校であれば、先生や指導員が「ああしなさい、こうしなさい」と指示を出すかもしれませんね。

　しかし、私たちは「あなたのことは、私にはわからないよ」「あなた自身は、どうすればいいと考えているの？」と、むしろ逆に質問を返すことにしています。

「大人が『わからないよ』なんて答えるとは、無責任だ！」

　そう捉える人もいるかもしれません。もしここが、学校や塾など、○か×かの正解を競い合う場なのであれば、答えや解き方をさっさと教えたほうがきっと早いでしょう。ｆｒｏｇｓ生たちも、それまではその世界観の環境で学んできたため、ついすぐに大人に尋ねてしまうのです。

しかし、ｆｒｏｇｓプログラムは、テストの点数など目に見える成果を追い求める場ではありません。非認知能力を養う場です。大人がすぐに答えを与えたり、指示を出すことは、非認知能力開発の観点からすると、むしろ逆効果になってしまうほどです。

「どうすればいいですか？」という質問をした時点で、その若者は思考停止しています。自分で自分のことを決めず、手っ取り早く正解にたどり着こうという従来の習慣の表れであり、これでは非認知能力は育ちません。だからこそ、大人側がすぐに正解を教えてはならないのです。

「教える」「教えられる」、それは一見、非常に魅力的な関係です。

教える側の大人は、経験や知識を伝えることで、目の前の若者や世の中の役に立っているという正当性を感じることができますし、教えられる側の若者は、正解を見つけるまでの余計なパワーや時間・手間が省けます。

しかし実際は、教える側がそれを身につけるまでに、さまざまな挫折や苦労、挑戦があったはずです。だからすぐに正解を知ってしまっては、そのプロセスにあった「揺らぎ」を体験することができません。

つまり、「教えてください！」「どうすればいいですか？」と答えをすぐ求めることは、自分で考え、行動するからこそ得られる学びを放棄しているも同然なのです。

「教える」「教えられる」ことは、点数を稼ぐといった認知能力を開発するには有効な手段かもしれませんが、非認知能力開発に取り組む時には、絶対にやらないほうがいいです。

そこで私たちは「あなたは、どう思う？」と、ｆｒｏｇｓ生に問い返します。ほとんどの若者たちは大人が教えてくれないという経験が初めてなので、最初は戸惑いますが、やがて自分自身で、自分は何がやりたいのか？　と向き合い、どうすれば実現できるかを考え続け、行動に移すようになります。自ら問い、自ら答えを追い求める習慣が身につくのです。

安易に答えを「教えない」からこそ、彼ら自身に生まれる「気づき」。この育成手法こそが、ｆｒｏｇｓプログラムの根底にあるものです。

確かに手間はかかりますし、これまでの学校教育の常識で考えたらあり得ない手法かもしれません。しかし、これからの時代は「自らの気づきで得た成長」こそが、未来を生きる若者たちに必要なものだと考えています。

## 答えのない問いに挑む体験が、人生の財産になる

ｆｒｏｇｓプログラムは、自分が本気で解決したい！　と感じる社会課題や、創りたい！とワクワクする未来を、テクノロジーの可能性とかけ合わせることで、持続可能なビジネスプランを生み出し解決するというテーマで、プログラムが構成されています。

もちろん、開始直後はインプット的な研修も行いますが、レクチャーするのは、あくまでも手法やメソッドだけ。メンター側から、ｆｒｏｇｓ生たちに最適解を教えたり、「こうやりなさい」など導くことはしません。

社会課題の解決や、ワクワクする未来を創るとなると、まずは、今ある現実的な課題としっかり向き合う必要があります。そこには、乗り越え難い壁があることがほとんどで、その正解や方法も、簡単には見つかりません。

なので自ら仮説を立て、その仮説が社会に受け入れられる方法を検証する必要があります。最初にたどり着いた答えが受け入れられないなんてことはざらで、ではどうアイデアを練れば受け入れられるのかと知恵を絞り、修正仮説をまた検証し、さらにそれを……という気

の遠くなるような「考動」に取り組むことになるので「ちょっとやってみようかな～」程度の気持ちだと、モチベーションの維持が困難となり「あれ、自分はこれに本気じゃなかったのかも？」ということにやっと気づきます。

これは一見「失敗！」と見えますね。しかし、このプロセスに大きな意義があります。「自分で決断し、自ら実行する」、これを繰り返す過程が、人間を大きく成長させるのです。

今の自分ではどうにもできないことが、きっとたくさんあるでしょう。落ち込んだり、自信をなくす若者もいます。

そんな姿を見ていると、身近な大人としては「ああしたほうがいい」「こうしたほうがいい」「これを避ける方法を知ってるよ」などとアドバイスしたくもなります。

しかし、ｆｒｏｇｓメンターはあえてそれをしません。本人が、本気になって尋ねてくるまで、グッと我慢するのです。

教えてしまえば早いのですが、それでは「気づき」にたどり着けないからです。彼らがこの先の長い人生の道のりの中で、真の意味で進化や成長をし続けるためには、本当の意味で「気づく」体験を、自力ですることが大切なのです。

将来、ｆｒｏｇｓプログラムで学ぶような、地域課題解決やワクワクする未来の創造の進路に進むのか、そうでない道に行くのかは、それぞれの若者次第ですが、答えのない問いに自ら挑み、もがき、奮闘するプロセスの中で、自らの本気に「気づく」経験は、どんな未来に進む時もかけがえのない宝になるはずです。

「やるか、やらないか」を体験的に学び、自らと向き合い、心が燃える喜びを知ってほしい。そんな想いで、私たちはこのプログラムを提供しています。これこそが、私たちの「教えない気づかせる育成手法」なのです。

# 第三章

# frogs人財育成<br>ビフォーアフター

さて、ここまで私たちが取り組むｆｒｏｇｓプログラムの基本的な考え方をお伝えしてきましたが、きっと「実際に非認知能力が磨かれたｆｒｏｇｓ生にどんな変化があったのか？」と、若者たちの成長の実例が気になるのではと思います。若者の数だけ変化・進化があるものですが、その中でも特に印象的だったケースを、５つのカテゴリに分けてご紹介します。

## 【起業家にチャレンジするケース】

### CASE① 現在6社目を起業！ 沖縄と東京の二拠点生活を送る。

Ａさんは、国立高専在学中にｆｒｏｇｓプログラムに参加しました。シリコンバレー派遣研修を体験し、現地のカルチャーを目の当たりにしたことで、「起業」というものがより身近に感じられたそうです。

ＳＮＳが一気に社会に広まった２００８年当時から、積極的に自己メディアとして活用し、制作物や日々の活動などをアウトプットしていたところ、楽天とリクルートから新卒採用のオファーを受けました。

そこでAさんは、リクルートを入社先に選びます。入社してすぐ「リクルートで経験を積み、3年後には会社を辞めて起業してみせます！」と宣言し、さらに「30歳には、東京から沖縄に戻って地域を盛り上げます！」とも公言します。そして、実際に30歳までに4社を起業しました。そのうち1社がEXITに成功！

その後、沖縄と東京の2拠点生活を送りながら、現在6社目まで起業しました。今ではAさんは、連続起業家として、沖縄県のスタートアップエコシステムを推進する中心人物にまで成長したのです。

さらに琉球frogs協賛企業として、frogs生たちのメンタリングにも関わってくれています。frogsプログラムの価値と意義を実感してくれているからだと思います。Aさん自身がエコシステムのロールモデルとして、社会変革を推進する存在になりました。

### CASE② 学歴社会への違和感に向き合い、起業家の道へ。

Bさんは、地元でも進学校と言われる高校に在学していた頃、frogsプログラムに参加しました。

学校では、生徒たちの偏差値が貼り出され、大学受験を常に意識させられる毎日。そして家では「有名大学へ進学し、大企業に就職するのがいいことだよ」という会話を、両親が頻繁に繰り広げています。

そんな環境で育ったBさんですから、先生や両親の価値観にいつも囲まれて、それに合わせるように真面目に勉強に勤しんできました。しかし一方で「何だかモヤモヤする。本当にこれが正しいことなんだろうか？」と、うっすら違和感を覚えていたそうです。


それが、グローバルに活躍する起業家や投資家の型破りな生き様、シリコンバレーの自由なカルチャーに触れることによって、いい意味で崩れ去っていきました。これまでのBさんが信じていた価値観・常識の枠を超えたワクワクする世界に出会ったのです。

覚悟を決めたBさんは「大学には行かない、起業する！」とお父さんに宣言しました。すると、何とあれほど厳しく「いい大学、いい会社」と繰り返していたお父さんが、Bさんの覚悟を認めてくれたのです。資金援助も含め、起業支援までしてくれることとなり、Bさん自身が一番驚きました。


自ら決めたことだけに、Bさんの行動は真っ直ぐでした。ｆｒｏｇｓプログラム受講中に法人登記を済ませ、熟考の末「起業に有効な学部であれば通う価値がある。大学に通いながら経営もしよう！」と大学進学を遂げました。その後はビジネスモデルをピボットしながらも、事業継続・拡大を模索しています。

## CASE③　北海道の昆布漁への疑問から、産官学を巻き込む起業を。

Cさんは、大学1年生の頃にｆｒｏｇｓプログラムに参加しました。親族に昆布漁師さんがいるそうで、Cさんは幼い頃から身近に昆布漁を見てきました。そこで、昆布が海岸に打ち上げられ、大量に腐敗していくことに、大きな問題意識を抱きます。「当たり前のように腐らせているけど、実は解決すべき課題なのでは。この昆布を何かに役立てられないだろうか？」と、Cさんの心に火がついたのです。

昆布のことを多様な面から調べたところ、牛の飼料に役立つという情報にたどり着きました。牛のゲップには多くのメタンガスが含まれますが、昆布を食べさせることでそれが大幅に削減できるというのです。そこでCさんは、産官学を巻き込むビジネスをスタートさせました。

すると、２０２３年10月から始まったカーボンクレジット市場を巻き込むことも視野に入れて構築したビジネスモデルが国に認められ、開発資金も調達できました。また、ｆｒｏｇｓプログラムで同期だった大学４年生の若者が内定先を辞退し、Ｃさんのチームに加わりました。「ビジネスで社会を変えたい！」という熱い想いをともにし、２人で奮闘する毎日です。

## CASE④　ｆｒｏｇｓプログラムで見つけたテーマを追求し、起業。

Ｄさんは、国立高専在学中の２０１３年にｆｒｏｇｓプログラムに参加しました。半年間の成果として人間の記憶をサポートするサービス構築と向き合います。その後「このテーマを、もっと実践的に、高度に学びたい。それは、今の学校では学べない。私はどこへ行けばいいのだろう？」と熟考の末、高専を中退し、ブレインテック領域の企業へのインターンを決めます。

そこで、のちにＣＥＯとなる仲間と出会い、Ｄさんはｃｔｏとして経営に参画し、起業を果たします。「ブレインダイブが実現できる未来を創りたい！」という夢に向けて、脳波を分析するビジネスで資金調達しながら日々努力を重ねています。

Dさんの夢に向き合う覚悟は本気で、マネタイズがうまくいかない時期は警備員のアルバイトをすることも苦にしないなど、泥臭く行動し続ける粘り強さが育まれました。

## 【社会課題解決にチャレンジするケース】

### CASE① 地域の農家さんの想いに寄り添い、農業ビジネスを模索!

採れたての野菜を食べた時の美味しさに感動した経験から、農業に興味を持つようになったEさん。農業高校から大学の農学部に進学し、その最中にfrogsプログラムに参加しました。

農業と社会の関わりを調べるうちに、農薬を使ったほうが見た目のいい安価な農作物を大量に生産できるのに、あえてそれを選ばない「有機栽培」の農家さんたちの存在に関心を持つのですが、その志の高さや、彼らの労力と対価が見合っていないという現状に、ショックを受けます。

そこで、安心・安全にこだわる農家さんの農作物がきちんと対価に合う消費のされ方をし、社会全体がいい食と農業へと向かっていく未来を創りたいと向き合うようになりました。今では、さまざまなビジネスモデルを検証しながら、食と農業の未来を模索しています。

## CASE② 島豆腐のおからを利用し、新たなビジネスを創造。

Fさんはfrogsプログラムにエントリーする以前から起業に関心を持ち、起業家コンテストに出場していました。解決すべき地域課題を探る中で、注目したのが沖縄名物の島豆腐。製造過程で、膨大な量のおからが排出・廃棄されるという事実を知り、深刻なフードロスの問題に直面するのです。

もったいないという想いだけでは、ビジネスは成立しません。廃棄コストが削減されて島豆腐屋さんの経営も守られるだけでなく、おからが有効利用され、さらに地球環境にも優しいことをクリアしなければならないのです。方向性の異なる難しい課題が山積みですが、「自分がやれることは何か、どんな可能性があるのか?」とFさんは真剣に考えました。

そんな土台があった上で、frogsプログラムを通じて企業と連携する縁が生まれ「おからでできた食べられるスプーン」の製品化に漕ぎつけます。特殊な製法でおからを焼き固めて作ったもので、廃棄されるだけだったおからを有効利用できる上、アイスクリームなどに添えればスプーンが使い捨てになりません。そして、まるでクッキーのようにサクサクして美味しく、しかも健康に優しい。実際にスイーツの飲食店で起用され、お店やお客さんから好評だそうです。まさにみんなを幸せにしながら、循環社会に貢献できる画期的な製品です。

Ｆさんは大学を卒業すると、社会起業家を育成する企業へジョインしました。その後もおからビジネスへの取り組みを継続し、本格的な社会起業家に向けて邁進しています。

## CASE③　殺処分されるペットと高齢者の絆を結ぶアイデアを。

Ｇさんは、家でペットを飼っていることもあり、人間に見放された犬や猫の殺処分問題に心を痛めていました。なんとかこの問題を解決できないかと、本気で向き合うようになります。そこでＧさんが、注目したのが高齢者とのマッチングです。これが実現すれば犬や猫の殺処分ゼロを達成することができるのではと、挑戦への強い意志が生まれました。

現在、動物愛護団体や保健所では「65歳以上の高齢者では、ペットの面倒を最後まで見切れない」との危惧から、里親にはなれないルールや常識があるそうです。一方で、高齢者がペットとともに生活することは、心身の健康によい効果があり、結果として医療費の削減にもつながるという説に、Gさんはたどり着きます。

そこからGさんは「どうすれば『65歳以上は飼い主になれない』という課題をクリアできるだろうか？」と考え抜き、こんな気づきに至りました。「飼い主である高齢者がいざとなった時、リスク回避できる仕組みがあれば解決できるのでは？」と。

そして、動物保護活動に取り組むNPOなどと連携し「必要な仕組みはどんなものか？」を模索しています。ペットの命を守ることと高齢者の方々に生きがいを生み出すことが同時に叶うゴールに向けて、社会を動かし始めています。

## 【自ら見出した進学先に邁進するケース】

### CASE① 環境問題への取り組みから、慶應のSFC（湘南藤沢キャンパス）に進学。

Hさんは、地元の平均的な県立高校在籍中にｆｒｏｇｓプログラムに応募しました。参加当初は、これまでの学校教育とはあまりに違う学び方や、仲間たちのやる気についていくのが精一杯。まさに四苦八苦していました。しかし、それでもへこたれずに喰らいつくうちに「ゴミのポイ捨てをなくして、美しい自然を守りたい」という気持ちが自分の中にあることに気づき、解決すべき課題を見出しました。

何気なくゴミのポイ捨てをしてしまう人たちを、少しでも減らすにはどうすればいいだろうか。考え抜いた末に「ゴミ拾い活動を通じて、出会いを求めるマッチングサービス」を起案。Ｈさん自身が率先してリアルにイベントを開催したり、そのコミュニティを動かしていくやりがいを通じて、環境活動への想いを高めていきます。

「この活動をもっと大きくしていくために、自分ができることは何だろう。何を学ぶべきか？」と模索した結果、慶應義塾大学のＳＦＣ（湘南藤沢キャンパスの略で、最先端技術や未来志向の学部・学科が充実しています）で学びを極め、「環境活動家として大きくなりたい！」との気持ちが生まれました。

猛勉強に加え、環境問題への想いや取り組みをアピールし、見事大学から入学を認められました。やりたいこと、行きたい大学、刺激的な仲間たち。そんなキャンパスライフを手にして、Ｈさんはますます志高く学んでいます。

ちなみに、Ｈさんの通う高校では「うちの学校から慶應現役合格なんて、どうせ無理でしょう」と多くの人が考えていたそうで、Ｈさんのあまりの成長ぶりに驚いた高校の先生たちが、若者の非認知能力開発の可能性について注目するということも起こりました。

## ＣＡＳＥ②　義務教育中に異例の海外留学、英語とプログラミングを習得。

Ｉさんは、中学２年生でｆｒｏｇｓプログラムに加わりました。地元中学から地元高校へ進学するために、塾通いと日々の勉強に勤しんでいた真面目な中学生でしたが、ｆｒｏｇｓプログラムを経験することで、県外や海外の進路に強い関心を抱くようになります。

中学3年生の頃「海外留学がしたい！」と発言し、周囲を困惑させます。義務教育である中学校では、休学して留学するという制度がないからです。しかし、当時の校長先生が「留学先で中学校の勉強もするんだよ」ということを卒業条件に、特別に許可を出してくれました。その結果、中学3年生で海外留学を実現し、英語とプログラミングを習得して帰国することに。そして、公用語が日本語と英語という、海外進学率の高い県外の高校へ入学します。

Ｉさんは、日々英語に触れ、世界情勢や海外事情などを知る中で、科学やテクノロジーに強い関心を抱くようになります。そこで、それらの分野に強い国内の大学に進学しました。「専門性を身につけて、卒業後は海外でキャリアを積みたい！」というグローバルな夢に向けて、力を磨いています。

## CASE③　英語スピーチやグローバルなゲストに触れ、海外大学を志望。

Ｊさんは、高校時代にｆｒｏｇｓプログラムに参加しました。進学校の生徒会長を務めるほどの秀才だったＪさんは、先生や親御さんからは国内の有名大学への進学を期待されていました。しかしｆｒｏｇｓプログラムの学びで、グローバルに活躍するゲスト陣と交流したり、自分で考えたプレゼンを英語でやり遂げた経験から、海外の大学への進学を決断します。

合格後にコロナで渡航制限を受けるなど逆境もありましたが、どうにもならない状況でも、諦めることなく粘り強く努力を続け、無事オーストラリアの大学に進学しました。リアルな異文化生活を繰り広げる中で国際感覚を磨き、グローバルに活躍する未来をめざして学びを深めています。

## 【グローバルに視野や行動範囲が広がるケース】

### CASE① 海外留学から海外企業に就職し、学校経営のスキルを身につける。

Kさんがｆｒｏｇｓプログラムに参加したのは、高校2年生の頃です。それまでKさんの常識になかった、グローバルな視野や海外のカルチャーを浴びて「このまま何も考えずに日本の大学に進学することが、自分にとって意味のあることだろうか？」と、将来に真剣に向き合うようになります。そこで出した答えが、高校卒業後は大学には行かず海外留学の道を選ぶというものでした。

フィリピン・セブ島にある英語とプログラミングが学べる学校に進みそれらを習得すると、その学校を運営している企業から声をかけられ、そのまま移住・就職。事業の運営やカリキュラム構築などの学校経営やＷＥＢメディア運営のスキルを身につけ、帰国しました。その経験が認められ、今では民間の教育系企業の役員として活躍しています。

## CASE② シリコンバレーの体験から、グローバルなIT企業で活躍中。

Lさんは、大学時代にｆｒｏｇｓプログラムに参加しました。Lさんにとって何よりの刺激になったのは、シリコンバレーへの派遣だったようです。「あの場所の空気を、再び浴びたい！」と、プログラム終了後も自ら県の海外派遣に応募し、再度1年間シリコンバレーで学びを継続します。

帰国後には、親や学校が決めたものではない、本当に自分がやりたいことが見つかり、当時通っていた大学を中退します。新たな編入先として選んだのが、日本にいながら受講できる海外大学の情報工学専攻です。

無事卒業すると、留学体験や情報系の知識を武器に有名なグローバルＩＴ企業の日本本社に入社します。その企業の本社があるのは、なんとシリコンバレー！　Lさんは、シリコンバレー本社に勤務する未来をめざし、粘り強くキャリアを積み重ねています。

## 【負の貧困スパイラルから脱出するケース】

### CASE①　バイトばかりで居眠りしていた高校生が、海外留学で激変！

高校2年生でｆｒｏｇｓプログラムに参加したMさん。当時Mさんは、家庭の収入を支えるために3つのアルバイトをかけ持ちしていました。

放課後は鰻屋さんか、スーパーのバックヤード整備。それが終わってからもスナックで深夜まで働き、予習復習をする暇なんてありませんし、授業中に寝て疲れを取らないとアルバイトに堪えるので、居眠りばかりしていました。あまりに過酷な生活環境で、とても勉強に身が入る状態ではありません。

だから当時の彼の夢は、安定した給料がもらえるサラリーマンになること。自分が本当に何をしたいかよりも、どうすれば家族の生活が楽になるかというのが感心ごとでした。

ところが、非認知能力が磨かれていくにつれ「お金がないからできないと、思考停止して何になる？　どうすればできるかを、自分自身で真剣に考えたことが私にはあっただろうか？」と、これまでのMさんにはなかった思考の変化が起こりました。

そこで閃いたのが、２０１７年当時にはまだ社会に馴染みのなかったクラウドファンディング。「これを活用して、諦めていた海外留学に挑戦しよう！」と思い立つのです。Mさんは高校3年生だったため、先生たちは地元国立大学への進学を勧めましたが、それを押し退けてのチャレンジでした。すると、たった1日で留学費用が獲得でき、夢が実現したのです。

1年間海外でのびのびと学び、元の高校に復学しました。留学でプログラミングと英語が社会で通用するレベルまで上達したという自信もあり、Mさんは学ぶこと自体が楽しくなったそうです。アルバイトばかりで寝ていたMさんが、まるで学びの虫のように進化した姿を目の当たりにし、先生たちは驚きました。

「今のMさんは、すでに先生たちが教えるレベルを超えているよ」と告げられ、授業中も自主的に好きな教科を学んでもいいこと、必要な図書が学校になければ新たに学校予算で購入するので自習に役立ててほしいことを提案されるほどになりました。卒業後は県外の大学に進学。現在はさらに別の大学院に進学し、工学系の学びに邁進しています。

家庭の収入の多い・少ないに関わらず、誰もが選考会に参加できるｆｒｏｇｓプログラムが、Mさんの前向きな成長のきっかけになったのではと、とても嬉しい一例です。

さて、さまざまなケースを紹介しましたが、若者たちの変化・進化の姿には私たちもいつも驚かされています。

進む道や成長のカタチはそれぞれ違えど、ここで学ぶ若者たちに共通するのは、親や学校が言う「失敗しない人生」に考えなしに従っていた頃より、自分の人生を自分で決定しその未来を自ら正解にしていくという、新たな価値観を身につけてからのほうが、表情が輝きだすということです。

そして、点数や受験の成功を追い求める学び（認知能力を磨く学び）とは異なる力を引き出す学び（非認知能力を磨く学び）を体験することで、結果としてｆｒｏｇｓプログラムを体験する前よりも、高偏差値の受験や海外留学、起業など、より勉強が必要なことへの努力を自らするようになります。これはつまり「非認知能力が伸びた結果、認知能力を自ら伸ばせる人に成長できた」ということですね。

学年や文系・理系こそ違えど、最初はみんなごくごく平凡な学生でした。しかしここで、目的なく学ぶことや、進学・就職先だけを目的にして学ぶこととは異なる世界を知り「自分が本当に関心があることは何か？」「未来を生き抜くために、何と真剣に向き合うべきか？」

という主体性に溢れたモチベーションを持つようになり、大きく変化・進化していきました。

これらのケースから、私たちが実践する「非認知能力を伸ばす育成手法」が、若者をどう成長させるかイメージできたのではないでしょうか。

全ては紹介しきれませんが、他のｆｒｏｇｓ生たちも一人ひとりが各々のペースや広がり方で、自らの道を切り拓いています。このような人財が社会に増えていけば、地域の未来もきっと大きく進化・変化していくことでしょう。

# 第四章

# 人生経験豊富な人ほど、frogs Organizerに向いている

## frogs Organizerになりたいというあなたへ

さて、第一章ではこれからの時代に求められる「非認知能力」のｆｒｏｇｓプログラムなりの定義、そして第二章では「教えない気づかせる育成手法」、そして第三章ではそれらの学びを経た若者たちの成長の様子を紹介してきました。

ここまでお読みになって、「これからの地域の未来に、必要な学びだと感じた」、さらには「このｆｒｏｇｓプログラムを、ぜひ自分の地域でも実施したい！」と動き出したくなった人もいるかもしれません。

私たちもこのプログラムを沖縄だけで独占するつもりは全くなく、全国のさまざまな地域で暮らす人たちの力にしてもらいたいという想いを持っています。

実際に、２０２４年1月時点で、北海道・茨城県・宮崎県の各地域の人々がfrogs Organizerとなり、それぞれの場所でｆｒｏｇｓプログラムが動き始めています。

ただし、frogs Organizerは、生半可な気持ちで始められるものではないことは間違いありません。ですから、この章では、「frogs Organizer(各地域で、ｆｒｏｇｓプログラムを実施する人や団体）」として活動したいと考える「大人たち」へのメッセージをお伝えしていきます。

ｆｒｏｇｓプログラムをオーガナイズするには、大きな覚悟が必要です。これまで自分が持っていた教育の概念とは異なる、新しい価値観の育成手法を知る必要がありますし、志の高い若者たちを支援するために、それに負けない熱い想いと地域の未来を考えるビジョン、その情熱を継続する粘り強さが必要になります。自分自身の真価が問われるのは、若者だけでなく、大人も同じなのです。

だからと言って、frogs Organizerは「輝かしい功績ばかりの人生でなければならない」とか「挫折や失敗のない順風満帆な生い立ちを持っていないといけない」ということは、全くありませんのでご安心ください。

なぜなら、ｆｒｏｇｓプログラムを継続している私自身が、決して光ばかりの人生を送ってきたわけではないからです。むしろ、人生のダークサイド（暗黒の面）を経験したこともありますし、逆風の中をがむしゃらに進んできたからこそ、未開の道を切り拓く力が生まれたと考えています。

ですからここでは、私自身の人生の歩みについてお話しさせてください。学生時代に教育や心理学を専攻しておらず、キャリア開発などへの関心もまるでなかった私ですが、さまざまな挫折と苦労、前例のないことに挑戦する経験だけは人一倍積んできました。そんな私が、必死に生きる中で、人財育成の重要性に目覚めるまでの経緯です。

一人の人間のキャリア形成のケーススタディであるとともに、この先frogs Organizerとして活動したい、すでに取りかかり始めたという皆さんに、私の原体験や起業までの経緯を知っていただくことで、挑戦や継続への何らかのヒントになれば幸いです。

## 母の死と父の土下座〜幼少期・中学生編〜

私の両親は私が1歳の時に離婚しているのですが、どちらも私を引き取らずに他人に養育を委ねたそうです。そして私が3歳の頃、離婚した両親が同じペアで再婚し、また私を育てたいと引き取りに来たと聞いています。私自身は、あまりに幼い頃なので、全く記憶にありません。

そんな両親ですから、365日喧嘩ばかり！　ひどい時は殺し合いに発展するのではないかと、子ども心に不安になったことも一度や二度ではありません。そもそも、家族3人で食卓を囲んで笑顔で食事をした記憶がないんです。一人っ子の私は、そんな殺伐とした家庭でいつも自分の部屋に籠って過ごすようになりました。

父親も母親も、それぞれ好き勝手に生きる人。だから、お互い愛人を作ったり、家のお金を自己都合で散財したりと、めちゃくちゃでした。

私が中学2年生の時、当時40歳の母親が急性骨髄性白血病に罹患し、他界しました。入院してわずか3ヶ月のことです。

大学病院に入院していたのですが、国が認可していない治療薬を選択したため、保険が適用されず膨大な医療費がかかってしまいました。

父は自営業者でしたが、入院介助などで仕事に手が回らず、そこへ多額の医療費までかかり、母が亡くなってからたった数ヶ月で破産宣告することになります。


ある日、私が学校から帰ると、リビングで父が土下座している光景が飛び込んできました。ソファに座ってそれを眺めているのは、母側の親戚である祖父や叔父たちです。

私は驚いて「一体何が起きているの？」とみんなに尋ねました。

すると母方の親戚たちが、「母が亡くなったし、自己破産までした父と縁を切りたい。だから、祖父の相続権がある暁（私の名前です）には、相続放棄をしてほしいので、書類に捺印してもらいに来た」と言うのです。

「暁には何の罪もない。あの子が母親の子であることには変わりがないし、この先の未来もある。だから、暁から何もかもを取り上げるのは許してくれ」

それが父が土下座していた理由でした。


私はそれを知り、こう言い放ちました。

「親父、土下座しなくていいよ！　すぐに拇印を押すよ。この人たちと、縁を切ればいいんだよね」

「おじいちゃん、おじさんたち、縁を切るということは、今後そちらに何かあったとしても、僕が将来自立したとしても、僕からも縁を切るということだからね！」

そして、迷いなく書類にサインと拇印をしたことを、今でも鮮明に記憶しています（のちに知りましたが、相続放棄は法的に生前にできないそうです。しかし、縁を切るという意志は伝わったと思います）。


祖父は、日本全国から難病患者が救いを求めて集まってくるブラックジャックのような腕利きの整体師として有名な人でした。叔父たちも、業界新聞の部長職だったり、企業経営をしていたりと、父との会話では知ることができない世界を教えてくれ、尊敬していましたし、可愛がられていると思っていました。

それなのに、お金が絡んだ途端に態度が急変し、冷酷な選択を強いられる。これをきっかけに、大人に対する不信感が強く芽生えたように思います。中学生という多感な頃でしたから、とても強烈な原体験になりました。


世の中の殺人事件の多くは、「お金」と「愛」が原因になっていますよね。これらは執着しすぎると、人を惑わせ、狂わせるものだと納得もいったので、自分はそうでない生き方をしよう、という決意が同時に生まれました。

## 大人たちに手を差し伸べられて～高校生・大学生編～

そうこうしているうちに、自宅のあちこちに赤紙が貼られ、家も競売にかけられ手放すことになりました。車の中で生活しながら通学をするという時期まであったほどです。

まさに、食べるものすらろくに買えないという危機的な状況でした。ですが、そんな時、救いの手を差し伸べてくれる大人たちが何人も現れたのです。

当時の私にはお弁当を作ってくれる家族もいなければ、パンを買うお金もありません。だから、学校がある日はやむなくお昼ご飯抜き、という日がちょくちょくありました。

それを見かねた英語の先生が、「他の生徒には絶対内緒だけど、私が毎日弁当作ってきてあげるよ！　ただし、毎朝予習復習ノートを提出することが条件ね」と言ってくれたのです。

本当に涙がこぼれました。今思えば、よほど不憫に見えたのでしょうが、こんなに優しい大人がいることに、当時の私は驚きました。

また、通っていた学校は、私立大学付属中学高校でしたから、学費がそれなりにかかりました。しかし、家が差し押さえにあうほどですから、学費が支払える見通しもなく、このままでは学業が継続できないという現実にぶち当たります。

そこで私は、退学届を手に教員室へ相談に行きました。

すると「今時、中卒では将来の選択肢が狭まるぞ。返済不要の奨学金を学校にかけ合ってあげるから、退学届はしまっておきなさい」と、進路指導教員に諭されました。

後々知ることになるのですが、返済条件の奨学金ならまだしも、返さなくていい奨学金を支給してもらうには、学年で上位数名に入る成績が必要だったそうです。

当時の私は、もう学校を辞めるしかないのだと勉強にも身が入らず、成績は下位といっていい順位でした。しかし先生方が学校と交渉を重ねてくれたおかげで、私は奨学金を受け取ることができました。もう、感謝しかありません。

さらに、私を奨学金受給者にふさわしい成績にしようと、科目別に個別指導までしてもらいました。部活動の休部が条件でしたが、各教科の先生方が熱心に補講をしてくださいました。加えて、バイト禁止の校則だったにも関わらず、先生たちが一緒にバイト探しに同行してくれて、学校近くの飲食店で働く許可までもらえました。

当時も感謝していましたが、大人になった今だからこそ、学校という組織でここまでのイレギュラーを通すことの凄さがわかります。だから今の私は、先生方のこの情熱に感謝を越えて畏敬の念を抱いています。

また、他にも当時の私に救いの手を差し伸べてくれた大事な存在がいます。親友のお母さんと親友の妹、その親戚の方々です。家をなくした私に、なんと同居を持ちかけてくれたのです。

賃貸マンションの1室に親友と私が、もう1室にお母さんと妹さんが住んでいるという形に収まり、私は車で寝泊まりせずに済むようになりました。しかも、2部屋分の炊事洗濯などを、お母さんが一人でこなしたのです。

その親友は母子家庭でした。だからお母さんは、きっと毎日働きに出るだけでもしんどいはずでした。そんな状況で、自分の子どもだけでなく赤の他人の私を加えた3人の面倒を見ることを覚悟し、同居を申し出てくれたのです。同居生活は、私が高校を卒業するまで続きました。

大学生になってからは、働きながら一人暮らしをする選択をしましたが、私が自立できるまでになれたのは、そのお母さんのおかげです。今でも、「育ての母」として慕っています。

自分だけの力ではどうすることもできない絶望的にヘビーな状況の中で「人生捨てたもん

じゃない」と思わせてくれた大人たちの存在は、これもまた大きな原体験として、記憶に植えつけられています。

できない理由を持ち出して思考を止めるのではなく、どうすればできるかを考え続ける姿勢が私の中に育まれたのは、そんな大人たちに手を差し伸べられて何とか生き延びられた経験が、大きく影響しているように感じています。

## ベンチャースピリットで突き進む！ ～社会人編～

周囲に支えられる経験を経て、環境のせいにして将来を嘆くより、将来家族や愛する人を守っていける人間に成長するために今の自分にできることは何だろう、それをやっていこうと考えるようになりました。

高校・大学時代は、学校の勉強に加えて読書を多くしました。何かのハウツーが書いてあるものではなく、人の生き様に触れられるような本を好んで読みました。先人たちが、極限状態でどんな決断をしたのか、覚悟を持ったのか、そんな価値観や思想などを自分と重ね合わせて想像することに、ワクワクしていました。

大学は付属高校から夜間学部に推薦で入学し、夜間は学問、昼間はアルバイト。しかし「社会を経験しながら、人生を学びたい」という意識が強かったため、単なるアルバイトの枠を越えた仕事にチャレンジすることにしました。

例えば、大規模なイベントや展示会などの企画設営の会社で、夜間授業の後も徹夜で働いたり、飲食店やオフィス向けのトイレ芳香剤をリースする会社で、毎日のように飛び込み営業してみたり。達成難易度が高く、普通の人が敬遠する職業を選びトライしました。

周囲の友人たちがのんびりしている学生のうちに、自分のキャパシティを大きくして、社会に出た時に備えたいという気持ちがあったからです。相変わらず貧乏でしたが、時給は二の次でした。どれだけ人と違う経験ができるか？　が、大学生時代の私には価値があるものでした。

だから、就職活動でも同級生が大企業を志望するのに対し、私の狙いはベンチャー企業ばかり。大企業では歯車になって同じ仕事を繰り返すばかりですが、ベンチャーであれば会社経営に関わる大きな仕事から、泥臭い現場仕事まで全部経験させてくれるのではとの期待があったからです。

そして私の狙い通りになりました。新卒で入社したのは、まさに「自分から手を挙げれば、やりたいことをどんどんやらせてくれる会社」！　さまざまな業務を幅広い立場と視点から経験することができ、力が磨かれる実感がありました。

社会人としての私は、やはり人がやらないことほど情熱的に取り組む気質を持っているんだなぁと、今振り返っても実感できます。

思い出すのは、土地有効活用建築提案営業の職に就いた時のこと。バブル期の銀行融資は手続きが簡単でしたから、お客さんに取引銀行での融資を斡旋する営業マンが多い中、手続きが複雑でも、低利長期固定の融資が受けられる金融公庫を利用するための知識を、社内の誰よりも貪欲に学び、活用しました。

また、ファイナンシャルプランナーの資格も取得しました。FPは今では人気の資格ですが、1992年当時、みんながそんな資格を知らない時に、先駆けてチャレンジしたのです。

分譲マンションの営業職に就いたこともあります。その頃は、ペット禁止が当たり前の時代。そんな中、ペット同居に特化した分譲マンションの企画販売に挑みました。床材・壁材をペットに優しい素材から選べたり、散歩の後に足を洗う場所があるなど、ペットと暮らせる細やかな心遣いのある部屋です。これも今では当たり前ですが、当時は非常に珍しかったのです。

そして、賃貸売買不動産流通事業に就いた時は、出店計画の役員コメント欄に「黒字化する見込みのない立地なので、赤字店舗の人選は要注意」との記載があり、みんなが敬遠する店舗の新規開設店長に立候補しました。

その店舗の黒字化を目標に掲げ、来店客のニーズと成約結果の違いを詳細に分析するシステムを独自に導入し見事、達成。のちにそのシステムは、全社共通ツールとして、本部主導でシステム開発されたほどでした。

次に、東京東部と千葉埼玉中心の会社が都心激戦区に進出する際、責任者に立候補しました。そこで、都心激戦区で成功するためのマニュアルを編み出し、こちらのほうが本部マニュアルよりいいものだと確信できたので、優先して使ってみたところ、早期黒字化を実現！

また、会社が赤字続きのエリアから、地域単位で撤退を検討していた時、あと1年その決断を待ってほしいとお願いし、そのエリアの14店舗を期末最終日に、またまた黒字化させました。

その功績が買われて、今度は全社初のスーパーバイザーに抜擢され、新任リーダーのマニュアル的なガイドラインを実務ベースで構築し、人財育成のノウハウを体験的に学びました。

その後、グループ全体の人事マネージャーに登用され、企画したのが、学生に向けた「あなたのロールモデルになる優秀な社員１００名に会える！」という採用イベントです。現場の責任者やグループ企業各社社長からは「優秀な社員を、現場から2日間も抜くなんて！」と猛反対を受けましたが、結果は大成功。私が退社した今でも、同様のイベントが継続されているとのことです。

介護事業の運営を任されたこともあります。介護分野は全くの未経験でしたが、他社の素晴らしい事業者とそうでない事業者を自分の足で見て回り、徹底的に研究し、知見を深めました。

そこから、利用者さんの尊厳を最優先するという自社の事業ポリシーを作るなど「前例はないけれど、お客さんやそこで働く人の役に立つこと」「まだ見ぬ道を切り拓くこと」に次々挑戦していきました。

幼少期や学生時代までの困難をバネに、社会人になってからはその時代に培った気質が花開いたという印象です。

「無理だ」「誰もやっていないじゃないか」と言われることほど、自分の頭で考え抜き、さまざまな現場へ足を運び、いろんな人を巻き込みながら、成果をあげてきたと自負しています。

## ダークサイドを経験したからこそ～過去を振り返って～

このように決して順風満帆な人生ではなく、心折れることもたくさんありましたが、困難に粘り強く挑戦し、乗り越えていく人間性を持つことができたと自負しています。それは私が、時に闇に落ち、絶望から抜け出す体験を積んできたからだと思います。

つまりダークサイドから這い上がり、自分なりに光を取り戻した経験こそが、私を強くしたと言えるでしょう。

ダークサイドとは、直訳すると「暗黒面」という意味です。少し怖い感じがするかもしれませんが、あの有名な映画『スターウォーズ』に登場する概念なので、ご存知の方もいるかもしれませんね。『スターウォーズ』には「フォース」という不思議な力が登場し、その力を正義の心で使う「ライトサイド」と、邪悪な心で使う「ダークサイド」との対立が物語の軸になっています。

人間とは、そもそも弱い動物です。その心の弱さゆえさまざまな環境や対人関係の中で、憎悪や欲望、恐怖に屈すると、あっという間にダークサイドに落ちてしまう可能性があります。

10代の人財育成に関わっていると、彼らのそんな「揺らぎ」に直面することが多々あります。10代は心や人格の形成期なので、どうしても不安定なところがあって、自分は傷つきやすいくせに他人に攻撃的だったりするのが特徴として挙げられます。

若者がよく陥るのは、こんな心理状態です。

「こんなに頑張っているのに、なぜうまくいかないんだ？」
「なぜあいつばかり評価されるんだ！」
「自分がうまくいかないのは、社会や大人のせいだ！」
「もっと賞賛を浴びて、地位や名声を高めたい」
「失敗して恥をかくのが怖い」

このようなことを、どうしても思ってしまうのです。私自身も10代の頃に環境が悪いからと、学びに対して投げやりになる時期があったことは、来歴の通りです。

この時に思い起こされるのが、京セラ創業者稲盛和夫さんの名言です。

「人生・仕事の結果＝考え方×熱意×能力」という含蓄ある言葉があり、どんなに能力が高く熱意があっても、考え方一つで、生まれる結果は、大きなプラスにもなれば大きなマイナスにもなるという意味が込められています。

これはまさに「フォース」がライトサイドになるかダークサイドになるかは使う者の心次第、というのに似ていますね。

非認知能力開発の中で、「教えない気づかせる育成手法」は非常に重要なものですが、第二章でお知らせした「メンターの心得18ヶ条」にもあるように、人として逸脱した時「だけ」は、そのダークサイドに気づかせるために叱責することもありだと思っています。

思考と言動のクセが心の闇に呑み込まれないように、ダークサイドに落ちてしまう一瞬を、見過ごさない必要があるためです。

ですから「挫折や失敗のない輝かしい人生を送った大人でなければ、ｆｒｏｇｓメンターになれない」というのは、大きな誤解だとわかるでしょう。

私の持論ではありますが、むしろ若年層の人財育成に関わる大人こそ、ダークサイドに落ち、そこから這い上がった経験を持つほうが、深く寄り添えるのではないかと思っています。正論をかざし正義ばかりを主張する人よりも、誰にでも起こり得る心の弱さ、ライトサイドとダークサイド双方への揺らぎを理解できる人のほうが、人間臭さがあり懐が深いのです。

他者に寄り添う時、強い絆で信頼関係を育む器があります。

　幸いなことに私は、幼少期から思春期、そして社会人になってからのさまざまなキャリアを通じて、人間や社会のダークサイドとライトサイド両方を経験することができました。生きるのに必死だった頃や、がむしゃらに突き進んでいる時期は、これが今のｆｒｏｇｓプログラムの活動に結びつくとは思いもしませんでしたが、全て必要な経験でした。

　少し長くなりましたが、私の生い立ちとともに、「なぜ私がここまで粘り強くｆｒｏｇｓプログラムに取り組むことができたのか？」の理由、また、光ばかりでなくダークサイドの経験（挫折や苦労などの「揺らぎ」）を経た人は、むしろfrogs Organizerやｆｒｏｇｓメンターとしてより深く若者に寄り添える可能性があるということが、おわかりいただけたと思います。

## 大切なのは、熱い想いと向き合い続ける覚悟

光も闇も含め「揺らぎ」を乗り越えさまざまな人生経験を積んできたあなたが、もし本気で「ｆｒｏｇｓプログラムを、自分の地域でオーガナイズしたい！」と想いを募らせ、動き出したくなったなら、ぜひこの言葉と向き合ってみてください。

「大義のために、想いや志を燃やす」

どんな気持ちが湧いてくるでしょうか。frogs Organizer になる時に、原点として必要なものは、これに尽きるかもしれません。

なぜなら、ｆｒｏｇｓプログラムそのものは、金銭的な見返りを求める事業ではないからです。それは、沖縄だけでなく、全国に展開しているｆｒｏｇｓプログラムにも共通しています。

若者たちが、家庭の経済格差や、あらゆる環境に左右されることなく、10年・20年先の未

来を生き抜くスキルを磨く学びの場を提供したい。そんな我々の想いを地域内外の人々に語り続け、賛同してくれる実行メンバーや、産官学の立場を超えた仲間や同志を募り、時に資金提供を呼びかける。それに加えて、志の高い地域の若者たちと根気強く向き合い続けます。

これらの全てに時間と労力を注ぎ、鋼の意志で継続する、それがfrogs Organizerになるということです。相当な覚悟と想い、そして地域の未来へのビジョンがなければできないことです。

けれども逆にこの軸がしっかりとしていれば、粘り強く継続するうちに、志に共感する協力者や仲間が増えていきます。そしてやがて、「地域の共創コミュニティ」が構築されるでしょう。若者たちや、その保護者の皆さんからも、信頼され、必要とされる存在になっていくはずです。

第一章でもお伝えしたように、「個人や組織の成長だけを見て、盲目的に頑張る」という時代から「Well-beingを大切に、誰も取り残されない持続可能な社会を創ろう」という時代に、社会全体が大きくシフトしています。

今はまだ表立って目につかなくても、あちこちで多様な動きが出てきているので、やがて大きな波になっていくはずです。

そんな時代を生きるには、想いや志でつながり合う立場を超えたネットワークが重要です。つまりあなたの取り組みが、地域の未来を切り拓く原動力としての役割を担う存在になっていくのです。ここでもう一度、自分の胸に問いかけてください。

「大義のために、想いや志を燃やす。この言葉に、どこまで真剣になれるだろうか。どんなことが起きても向き合い続けると、自分自身に誓えるだろうか」

もしこの問いに、覚悟をもってイエスと答えられるのなら、ぜひ私たちの門戸を叩いてください。私たちはあなたを歓迎します。

## frogs Organizerで身につく13のスキル

ここでfrogs Organizerに必要なスキルをご紹介します。自分の地域でもｆｒｏｇｓプログラムを実施したいという人は、今のご自身にこれらのスキルが備わっているかをぜひチェックしてください。

おそらく、最初から全てをスキルセットできている人は、少ないのではないかと思います。逆を返せばこれから紹介するスキルは、ｆｒｏｇｓプログラムの育成手法や理念を学び、実践する中で、大人たちにも身につく力と言えます。

つまり、frogs Organizerやｆｒｏｇｓメンターなど、実行委員として関わる大人、関わろうという大人の皆さんにとって、キャリア形成、スキル形成の指標にもなるはずです。「若者とともに、大人である自分たちもたくさん成長しよう、スキルを身につけよう」、そんな意識で挑んでくだされば幸いです。スキルは13あります。順番に見てみましょう。

## frogs Organizer に求める13のスキル

### 1　研修ファシリテーションスキル

一方的にスピーチする講義形式の授業・研修でなく、対話型や参加型の企業研修やワークショップ運営をした経験があること。

### 2　人財育成・キャリア形成スキル

企業人事としての育成業務や、社会の中でキャリア開発業務に携わった経験。それらを通じて、全体最適と個別最適を考慮しながら、人財育成プログラムを構築したり実行した経験があること。

### 3　インタビュー（面談）スキル

質問側・回答側に分かれた対比的なものではなく、1 on 1など、傾聴型・会話形式での面談の経験。相手の立場を尊重しながらヒアリングし、言動からその人の資質を見極められる力。

### 4　事業立案実行スキル

自身で起案、もしくは責任あるポジション当事者として、事業やプログラムを計画した経験。

長期的に7W2Hを計画し、率先垂範で実行・マネジメントし、トライ&エラーを繰り返しながら一定の成果に導いた経験を持つこと。

## 5 ビジネスモデル構築・実行スキル

個人や組織内において、自身でビジネスモデルを起案し、実現に向けてゼロから実行した経験。

## 6 起業（支援）スキル

個人で起業した経験、もしくは企業内でイントレプレナーとして起業した経験。または、起業家支援を生業として伴走した経験。

## 7 メンタリングスキル

スタートアップイベントや、アクセラレーションプログラムなどで、ビジネスプランへのメンタリング、またはピッチイベントなどでフィードバックを行った経験。

## 8 セールス（行政・法人・個人）スキル

企業や個人、行政や学校などに営業を目的としてアプローチし、その目標を達成した経験。

## 9 イベント企画運営スキル

数百名規模のイベントを自分で主催企画し、運営した経験。

## 10 広報・マーケティングスキル

セグメントに応じた適切なメディア媒体（マスメディア・SNS・WEB・紙・リアルなど）を使い分け、その露出戦略や制作に関わり、マーケティングや広報として一定の成果を収めた経験。

## 11 業界専門スキル

人生の中で多様な業界に携わった経験、またはそれらをコンサルティングした経験。当事者としてその業界に携わった経験から、業界ごとの本質を把握する力を持ち、メンタリングの引き出しが多いこと。

## 12 多言語会話スキル

英語をはじめ、日本語以外の各種言語を日常会話レベルで使う経験。

## 13 プレゼンテーションスキル

ビジネスピッチや講演活動などを多く経験し、共感と協力・応援を導く伝え方（プレゼンス・シナリオ・デリバリー）のノウハウを持つこと。

# 第五章

# シリコンバレーの風を沖縄に、日本に！FROGS設立秘話

## シリコンバレーの衝撃と、たった一人の想い

私の若き頃を知っていただいたところで、今度はｆｒｏｇｓプログラムの始まりから、現在私がＣＥＯを勤める株式会社ＦＲＯＧＳの設立秘話をお伝えさせてください。同時に、ｆｒｏｇｓプログラムがどんな想いで生まれ、どんな変遷を経て、今のカタチへと磨かれていったのかがおわかりになると思います。

活動の始まりを語る上で、この人抜きには語れないという人物がいます。それが、ｆｒｏｇｓプログラムの創設者である比屋根 隆さんです。比屋根さんは、１９９８年に株式会社レキサスというＩＴ企業を創業しました。彼がまだ24歳の時でした。

沖縄の人ならご存知かもしれませんが、その頃沖縄県が掲げていたのが「マルチメディアアイランド構想」です。沖縄県の人件費の安さをウリに、県外企業の誘致を推進し、雇用を増やそうという戦略です。実際に2万人を超える新たな雇用が創出されたとのことで、一定の成果をあげました。

しかし、比屋根さんはこんな疑問を抱きます。

「確かに人件費の安さをアピールすれば、一時的な雇用は増えるかもしれない。しかし、長期的な視点で見た時に、本当に沖縄にとっていいことなのだろうか……」と。

彼が経営する株式会社レキサスは、受託系の開発業務に依存せず、自社サービスで勝負しようというビジョンを掲げていました。それは、沖縄の基地関連収入に匹敵する２０００億の売上をめざすという大きな目標です。

そんな彼が30歳の時、シリコンバレーを訪れることになります。アメリカの西海岸にあるその場所は、Apple社やGoogle社をはじめとし、名だたるＩＴ企業が集まる世界的なTechnologyの土地です。比屋根さんにとって、シリコンバレーを肌で体感したことは衝撃だったようです。

「もっと早く、この土地の空気を知っていれば！」「今より遥かに広い視野を持つことができ、さらに大きな目標を描くことができたのに……」と、感じるほどでした。

そして、沖縄が真の自立を図るためには、人件費の安さを他県に売り込むのではなく、自分たちの力で自ら未来を切り拓く「自立人財」を育成する「人創り」をせねばならない、と強く思うようになります。

私は、２００８年9月から沖縄に移住したのですが、その約1年前に人づてに紹介を受け、比屋根さんと初めてお会いしました。この時彼が、沖縄の人財育成への熱い想いを語ってくれた姿を今でも忘れることができません。この出会いが私の人生を大きく変えました。

彼の話は、こんな内容でした。

まず、沖縄には、歴史に翻弄された土地というバックボーンがあり、その影響が色濃く残っていること。そして、毎年降り注ぐ数千億の基地関連交付金が県民の価値観に及ぼす影響について、賛成・反対の二元論にとどまらない、冷静で客観的な考察。だからこそ、沖縄の未来を変えて明るくしたい。そのために、若年層の人財育成を推進したいことなど。どれも、深みのある熱い話ばかりです。

そして比屋根さんは、私にこう言いました。「沖縄の未来を変えたい。だから、『沖縄県の人事部』として、あなたに力を貸してほしいのです」と。

株式会社レキサスは従業員30人前後と、決して大企業ではありません。そんな会社の一経営者が「沖縄の未来を変える」という大きな夢に挑戦しようとしている。彼のあまりの熱意に心を打たれ、まさに「人生意気に感ず」、その場で握手を交わしたことを覚えています。

そんな経緯があり、２００８年10月、私はレキサスに人事責任者としてジョインすることになりました。

## ＩＴｆｒｏｇｓの誕生

そして一番最初に設立したのは「ＩＴ ｆｒｏｇｓ」です。今でこそ私たちは、琉球ｆｒｏｇｓなど地域を単位として包括するプログラムを運営していますが、その前身は「ＩＴ業界を牽引する人財を育成する」ことがテーマでした。

「ＩＴ ｆｒｏｇｓ」の構想が動き出したのは、私が沖縄に移住する以前の２００７年からで、比屋根さんが、当時沖縄県情報産業振興課に在籍していた玉城恒美さんに相談して始まったそうです。

ＩＴ産業を牽引するグローカルなリーダー人財を育成すべく、ＩＴ企業各社が資金を出し合い、怒涛のイノベーションが巻き起こっているシリコンバレーに派遣しよう！　という構想です。

２００８年には、７社の民間企業が協賛金を拠出。沖縄県と沖縄県内５大学の学長が理事となる「ＮＰＯ 沖縄知の風」が後援となり、第１期がスタートしました。

この頃は今のｆｒｏｇｓプログラムと異なり、とにかくシリコンバレーに行くことがメインで、シリコンバレーの風を感じ、各自の視座や経験値を高めようという内容でした。

私がジョインした２００８年10月は、シリコンバレー派遣を無事終えた１期の人々による成果発表会が開催される段階でした。そして、私が企画運営のバトンを受け取ったのは２期から。

この学びを一過性の刺激で終わらせたくないと考えた私は、事前研修をしっかりと行うことをプログラムに組み込みました。

思考と言動の質を高め、マインドを形成し、目的意識を高く持った状態でシリコンバレーへと飛んでいけるプログラムに進化させていったのです。

そしてもう一つ大きく変えたのは、選抜方法です。１期の時は、沖縄県内の５大学から各１名ずつ選ぶというルールがありましたが、そんな大人の都合が見え隠れするルールは撤廃！

民間企業の協賛金で運営しているという特色を活かし、人物重視の選抜に変更しました。同時に、人生のより早い時期に気づきを得ることの重要性も考慮し、大学生に加え高校生にまで対象年齢を引き下げることにしました。

そのため、資金準備や関係者調整に、どうしても時間がかかりました。２期の募集をスタートしたのは、２００９年10月のこと。そこで、シリコンバレー派遣が２０１０年２月、成果発表は２０１０年3月というスケジュールで運営することになりましたが、こんなふうに時期がずれ込んだのは最初で最後です。

派遣前の数ヶ月間は、沖縄県の人材育成補助金事業と連携し、ｆｒｏｇｓ生たちに新たなビジネスの創出とアプリ制作に取り組んでもらいました。

当時は、スマートフォンが誕生したばかりの時期。つまり、アンドロイドで誰もがアプリを開発できる時代に突入した頃でした。

すると、2期選抜生の一人が、社会人を対象にした日本Androidの会主催のイベントに、沖縄の学生代表として招待される機会を得ました。そこで彼は、自身が作成したアプリケーションをプレゼンします。そのアプリは、お互いのスマートフォンを振り合う動作で、名刺データを交換することができるというものでした。

「やはり研修には、大きな効果がある！」と、私は確信を深めました。そこで、シリコンバレーへの派遣だけでなく、事前・事後の研修をより重要視したプログラムの構築に取りかかりました。

これは、3期目から直ちに活かされていくのですが、それ以降、4月告知→5月説明会→6月選考会→7月～8月事前研修→8月下旬シリコンバレー派遣→帰国後事後研修→12月最終成果報告という流れでの運用が生まれました。

この運用の流れは、今日に至るまでさまざまな見直し・刷新が施され年々カタチを変えていますが、この時できた「事前・事後の研修を重んじる」という考え方は、今でも引き継がれています。

## 「起業家育成」から、文理を超えた若者を対象に

ｆｒｏｇｓプログラムではアントレプレナーシップ（起業家精神）が育まれるので「起業家育成」の学びだと思う人が多いのですが、そうではなく、もっと本質的な意味での「人財育成」の学びです。この2つは、似て非なるものですが、当初のｆｒｏｇｓプログラムは「起業家育成」の色合いが強かったです。

地域活性化や地域イノベーションを起こすとなると「起業家になる人が増えればいいんだ！」と発想するのは非常に理にかなっているし、日本各地で活発になれば嬉しいと思っています。そしてこれが、大学生以上を対象とし、「起業」の持つ重みがわかる年代を対象にするのであれば違和感はありません。

しかしさらに若い世代、つまり中学生や高校生も対象範囲に入れていくとなると……？

「起業家になるか、ならないか」という目線のみで、大人が若者と向き合おうとするのは、社会的に問題があるように感じます。というのも、ｆｒｏｇｓプログラムの4期の時に起こっ

た出来事に、深く考えさせられたからです。

それは、当時17歳だった高校生の女子が構築したサービスに、投資家が関心を持ち、「500万出資します!」という話が持ちかけられた時のことです。

私を含め周囲の大人たちはこれを朗報と捉え、浮き足立ちました。いよいよこのfrogsプログラムから、投資家が認めるサービスが生まれ、ローンチに動き出した!ついにここから、学生起業家が誕生するんだ!そんな期待でいっぱいでした。

ですが当の高校生は、不安一色になりました。サービスを創るのは楽しい。自分のサービスが、世界で使われるようになったらどんなに素晴らしいだろう!そんな想いから、真剣に取り組んでいたことは間違いありません。

ただ彼女にとって、起業することや投資を受けることは、別の世界のお話、という認識だったのでしょう。

一体、どうすればいいのか……。学校の先生や、ご両親に悩みを相談する日々が続きました。もちろん、私や比屋根さんも彼女の不安や意見を聞く時間を、何度も持ちました。

そして、投資の申し出を辞退することに決めたのです。学校の先生やご両親から受けた「新卒という価値は人生に一回しかない。起業なんかして失敗したらどうするの?一生を棒に振るかもしれないよ」というアドバイスを、彼女が受け入れたからでした。

2012年当時、それはごく真っ当なアドバイスでした。日本独特の就職活動手法に多くの人が疑念を持たなかった時代ですし、「起業だなんて、子どもにはとんでもない！ ありえない！」というのが社会の通念でした。

悩みに悩み抜き、その高校生は投資を辞退すると決めました。彼女が涙ながらに答えを口にする姿から、その真剣さや葛藤の苦しみが伝わってきたのを覚えています。そして、私たちはその意志を尊重しました。彼女が自分で決めたのだから、それでよかったのだと思います。

どのみち、起業には意志や覚悟の強さが必要です。どんな反対を受けてもやるんだ！ というマインドがなければ、たとえ事業を立ち上げたとしても、成功することは難しかったかもしれません。ただ、自分がどうしたいかと真剣に向き合い、嬉しさと不安と感情の大きな「揺らぎ」を経験できたことは、彼女の人生や人格形成においてプラスになったのではないでしょうか。そうであれば、嬉しいのですが。

この出来事を目の当たりにして、私の中に大きな疑問が生まれます。「起業家育成プログラム」という目的の学びを、大学生はまだしも、人格形成の途中にいる中学生や高校生に提供するのは果たしてよいことなのか、と。

また「起業家育成プログラム」と称して地域で活動していると、協賛企業や支援団体の皆さんとお話しする際に「起業できた学生がすごい人で、起業に至らなかった学生は残念な人」のような空気が生まれ、これにも違和感を覚えました。


何か見直すところがあるのではないか。そんな視点で私たちの活動を考えた際に「ＩＴｆｒｏｇｓ」は、対象者がＩＴ系の若者に限られているため、高専や情報工学系の大学生、専門学校生などからしか応募がなく、集まる人の種類の幅が狭いことも気になりだしました。

実は前々から薄々気になっていた点で、どうしても類似した思考性の若者が集まることになってしまい、気づきや化学反応ののびしろが低いと懸念があったのです。


そこで私は、主要協賛企業の代表やＮＰＯ沖縄知の風の理事長たちで構成されている「ＩＴｆｒｏｇｓ理事会」にこんな提言をしました。

「対象を文系・理系問わず、沖縄に住む全ての学生を対象にしたい。さらに起業家育成プログラムではなく、起業家精神（アントレプレナーシップ）を育むプログラムに進化させ、ネーミングもＩＴｆｒｏｇｓから、琉球ｆｒｏｇｓへと変更したい」というものです。

こうして「アントレプレナーシップを育み、文理の枠を超えたハイブリッドイノベーターを創る人財育成プログラム」が誕生することになりました。

## 沖縄の中・高・大学生がともに学ぶ、琉球ｆｒｏｇｓへ

将来、起業家をめざすことはもちろん、大企業に就職してもよし、実家の家業を継いでも、医者でも政治家でも教員でも、どんな道に進んでもいい！　そんな想いで、沖縄に住む幅広い若者を対象にすることにしました。

ただし、なんとなく生きるというのでなく、もっと社会や組織をよくできると自らが感じたならば、前例や既存のルールに流されず行動していける人を育みたい。たとえ最初は周囲に理解されなくても、仮説検証を繰り返し、みんなを巻き込みながら未来を切り拓ける人財を、さまざまな業界・分野に輩出するプログラムに進化させました。するとここから、一気に集まる学生の質が変わりました。

**・好きな分野や興味関心分野が明確で、常にそれに向けて行動や学びをしている人**
**・変化成長欲求が高く、何かしでかしたいというモチベーションで周囲に影響を与えている人**

**・社会の未来を憂いていて、現在すでに課題解決のための社会活動を実践している、またはしようとしている人**
**・いい意味で学校にハマらず、個性的で浮いている人**
**・学校や家庭では素直で真面目な俗に言う「良い子」だが、内に秘めた強い想いを感じる人**
**・貧困家庭で絶望しつつも、そこからもがき脱却したいと思っている人**
**・テクノロジーの可能性にワクワクし、未来を創ることに関わりたい、新たな未来を見てみたいという欲求が強い人**

そんな個性と志を持つ若者が、文・理を超えてどんどん集まるようになりました。そして、若者同士の間に生まれる気づきにも変容が見られました。

文系学生は勢いや表現力、リーダーシップの高さが目立ちますが、ロジカルシンキングが苦手な場合が多く、プログラミングにも苦手意識を持っており、サービスを具現化することに躊躇いが大きいです。

ところが身近に理系学生がいるため、自分に足りないスキルを高めたいという欲求が自然と湧いてきて、自ら学び始めます。

かたや理系学生たちは、技術力はあるけれど、リアルなコミュニケーションに苦手意識があったり、理屈だけではない感情を汲み取ったり人に共感される伝え方が不得手な場合が多く、しかし、文系学生が身近にいることで、欠点を乗り越えようと努力する姿勢が育まれるようになりました。

「ＩＴ ｆｒｏｇｓ」から「琉球ｆｒｏｇｓ」になって、ますます人財が育つ学びの場へと進化していったのです。

加えて素晴らしい変化を生んだのは、中学1年生から大学院生までがともに同じ空間で学ぶという場づくりでした。中・高生のｆｒｏｇｓ生が参加するようになっても、私たちは年齢・学年でグループを分けることをしなかったのです。

「えっ！　大学生の会話に中学生がついていけるの？」と、驚く人がいるかもしれません。また「中学生と一緒なんて、大学生には物足りないのでは？」という声もあるでしょう。これまでの学校教育の常識では、ありえないことですからね。

しかし、私たちはそもそも若者たちを選抜する時点から、年齢・学年で区別することを一切しませんでした。その選考を通過してきたｆｒｏｇｓ生ですから、研修が始まってみんなで学ぶことになっても、年齢・学年が妨げになることはありませんでした。

以前、非認知能力・認知能力の両方が非常に高い中学1年生が選抜されたことがあります。その中学生が同期の大学生たち（文・理系）とともに学んだ時、むしろ大学生のほうが圧倒されていました。

彼らを比べて、どちらが優れているかと言いたいのではありません。ただ年齢・学年で子どもたちを区切り、横並びの枠組みに閉じ込めてしまうことは、実は実際の社会を考えた時に無意味であり、時にはその区分けを取っ払ってしまったほうが若者の可能性は広がると考えさせられたエピソードでした。

「あなたは何歳？」「何年生？」と、当たり前に聞く大人は多いですが、これは社会に無意識的に横並び文化（年齢・学年による先入観）がある証拠に思えます。

例えば、自分との対話であるとか、なぜ生きるのかの動機づけなどが未成熟な高校3年生に対して「あなたは、もう高校3年だよね？　夢は？　進路は？　就きたい職業は？」などと問えば、彼らのメンタルを追い込むことになるでしょう。また、やりたいことがはっきり決まっている同級生と比較でもされれば、将来が曖昧なままの自分の不甲斐なさに、押し潰されるような思いがするかもしれません。質問した大人側に悪気がなくてもです。

一方、中学1年生であっても、自らの興味・関心が明確でその成長欲求から具体的な行動を起こす場合もあります。

その若者の場合は、それでますますやる気になり「あれもしたい、これもしたい！」と意欲を表したのですが「まだ中学1年生でしょう？　まずは目の前の宿題をやりなさい」「学校の授業を順番通り受けてからでないと、ダメだよ」など、先生に諌められてしまったそうです。それを保護者の方に涙ながらに相談されたことがあります。思わず心が痛みました。

認知能力を育むとなるとみんなで一斉に学ぶのがいい方法ですから、年齢・学年の枠組みのメリットも確かにあります。しかし、非認知能力を育む場合は、人それぞれの意識や言動を拠り所に、縦のグルーピングをすることが必須です。

いつか社会全体が、もっと一人ひとりの個別性を重んじる教育を行うのが当たり前になることを願ってやみません。

## LEAP　DAYが地域を巻き込む都市型フェスティバルに進化するまで

ITｆｒｏｇｓ時代から、半年間の研修の集大成として「最終成果報告会」を行ってきましたが、琉球ｆｒｏｇｓへとプログラムが進化した段階で、そのネーミングを「LEAP　DAY」に変更しました。「最終」とつくと、これで終わってしまう印象があるな、と感じるようになったからです。

ｆｒｏｇｓプログラムで体験した学びを、ここにいる時だけの一過性の刺激にしないために、アポロ11号が月面着陸に成功した時、アナウンサーが人類初めの一歩を「Giant Leap（大きな飛躍）」と言い表したことに倣い「LEAP　DAY」としました。

ｆｒｏｇｓ生として身につけた思考と言動のクセづけを、これからの長い人生の中で活かしそれぞれのやりたいことを謳歌するきっかけにして、飛び立ってほしいという願いが込められています。

そして、LEAP　DAYを継続していくうちに、意外な副産物があるのを目の当たりにしました。この報告会の真の受益者は「地域社会・大人たち」ということです。

ＬＥＡＰ ＤＡＹに訪れる、保護者の方、教育関係者、協賛企業関係者、行政関係者などが、若者たちの懸命なプレゼン姿を見て、図らずも感動してしまうのです。

若者を応援するつもりで会場を訪れたのに、むしろ励まされる気持ちがしたり、日々の忙しさにかまけて現状に甘んじている自分を恥じたり、中には、溢れる想いが止まらず、涙を流しながらマイクを取ってコメントをくださる人もいました。

社会課題に取り組みよりよい未来を創ることに真剣に向き合うｆｒｏｇｓ生たちの姿に、大人が刺激を受けるのです。さまざまな立場で関わる大人たちが、進化・変化を遂げる瞬間を私は数多く目の当たりにしました。

そしてこの活動を続けるにつれて、ここで学び、思考と言動のクセづけが変化した若者は、家庭や学校において周囲の人々と共通言語（互いの間で共有できる話題・関心ごと）や価値観が噛み合わなくなり、混乱したり悩んだりしてしまうケースがよく見られるようになりました。

若者の中に主体性が育ち、行動を起こそうという時に、周囲の大人たちにブレーキをかけられることが起こるからです。

その大人たちに一切悪意はなく、むしろその子に対して強い愛情があったり、その大人なりの人生のものさし（過去の経験値や成功体験）からくる心配からのアドバイスなのですが、未来を変えたい若者の想いに、大人や社会の常識がボトルネックになることが多々見受けられました。

そんな相談を受けた私は、この地域の人々に、若者の想いや変化・進化する未来をポジティブに受け止めてもらう必要があると気づきました。そこで、ＬＥＡＰ　ＤＡＹの規模を拡大し、もっと地域社会を巻き込めばいいのでは？　と、仮説を立てたのです。

ここから、ＬＥＡＰ　ＤＡＹを都市型カンファレンスに発展させるという構想が強まるのですが、さらに私を動かしたのが、２０１４年に第６期のＬＥＡＰ　ＤＡＹを終えた時に、スペシャルサポーターの奥田 浩美さんが下さったアドバイスです。奥田さんは、ＩＴを軸に社会や地域にイノベーションを起こす事業に取り組む他、数々の大規模ＩＴイベントやスタートアップに関わり、さまざまな政府系委員を務めるなど、地域や国を越えた多様な分野で圧倒的な経験・視座を持つ人物です。そんな彼女が言いました。

「ねぇ、山崎さん。アメリカのＳＸＳＷ (South by Southwest) みたいに、コンテンツを盛り込んで規模拡大することを検討してみたら？ そのほうがたくさんの人を巻き込めますよ」

奥田さんにこう言われた時、私は恥ずかしながらＳＸＳＷのことを知りませんでした。早速ネットで検索すると、オースティンで行われる音楽祭・映画祭・インタラクティブフェスティバルなどを組み合わせた大規模イベントのことで、もともとは音楽や映画がメインでしたが、イベントの盛り上がりと、ハイテク都市として有名なオースティンという土地柄が組み合わさり名だたる企業が最先端テクノロジーの展示や講演を行うなど、さまざまなコンテンツを内包する一大地域イベントに進化したそうです。

ＳＸＳＷというヒントが得られたことで、思考の枠がぐんと自由になり、毎年ＬＥＡＰ ＤＡＹに工夫を重ねることになります。

7期には世界で活躍する登壇ゲストを増やすことで２４０名の観客を動員し、８期には沖縄セルラードーム練習場で、飲食ブースあり、創作エイサーや空手演舞など地域の出し物ありで出入り自由に楽しめるイベントを企画したところ、470名を動員。

そして9期では、初めて有料チケット制(※大人のみ)を導入しましたが、むしろ来場者は増え、630名。会場定員は500名だったのですが、それを上回る人々が訪れました。ただ、琉球frogsのLEAP DAYとして開催したのはこの期が最後になります。

というのも、記念すべき10期LEAP DAYでは、いよいよこのイベントを琉球frogsから切り離し、誰もが参加できる都市型フェスティバルとして、その規模を大幅拡大させる計画を水面下で進めていたからです。

構想や準備に2年の歳月を費やした沖縄の一等地を活用してのイベントです。きっと沖縄の人から他県の人までを巻き込む一大イベントとして話題をさらうはずだと、私はワクワクしました。

想いを発信し続けると、それを応援してくれる人や企業が現れるものです。最初に気にかけてくださったのは、株式会社琉球新報社さまでした。「本社が県庁近くに新築移転するので、新報ホールをＬＥＡＰ　ＤＡＹで使ってみてはどうでしょう」という、まさかのタイミングで最高のオファーをいただきました。

そして同じく県庁近くにある沖縄銀行本店の上地 龍太さんからは「本店の大会議室をＬＥＡＰ　ＤＡＹで使えるように検討してみるよ」と。一等地に2つの会場が見つかったことで、構想がみるみる具体的になっていきました。

琉球新報新社屋ビルと沖縄銀行本店を結ぶ動線が、街をジャックするのに理想的だったので、その間にあるパレットくもじというローカルなデパートをキーテナントとする再開発ビル、県庁前広場、那覇市役所をどう巻き込むかを考え始めました。

2つの会場を行き来するお客さんたちが楽しめるように、飲食を道路に出店してもらうようにはどうすればよいか。

県庁広場で、伝統舞踊や創作エイサーなどの地域性の高いコンテンツを提供するにはどうしたらいいか。

そして、両会場内のセッションを通りすがりの人にも観てもらうための大型ビジョンを、県庁前交差点に設置するにはどうしたらいいか。

総合受付を那覇市役所に設置したいが、許可を貰えるか……などなど、数々の前例のないことに挑戦しました。


「できない」「無理だ」で思考を止めずに、どうすればできるかを考え続けるということを常日頃からｆｒｏｇｓ生たちに言い続けている身としては、絶対に諦めたくありませんでした。そのため多くの人を巻き込みながら進むことになります。

県庁との交渉では、どうにかして実現したいとの想いから、当時の副知事に私が直接メールを送ったために、庁内で物議を醸すことになりました。

県庁広場を土・日に一般開放することに奮闘いただいた県職員の皆さん。

一緒にさまざまな交渉に動いていただいた久茂地都市開発株式会社（パレットくもじビルの管理会社）の喜納 千恵子さん。

共催を決定し、土・日に総合受付設置を実現していただいた那覇市役所の皆さん。

県庁前交差点のPRビジョンにLEAP DAYの告知動画を、開催1ヶ月前から繰り返し上映していただいた株式会社Mh沖縄さま。

パレットくもじ前広場で飲食イベント連携を実現してくれた「まーさんマルシェ」主催の中曽根夫妻。

多拠点開催実現をテクニカル面（映像、音響、舞台、照明など）でサポートいただいたLINEUP STUDIOさま、ストロベリーメディアアーツさま。

琉球frogsから切り離し、都市型フェスティバルとして単独開催を金銭面で支えていただいたスポンサー企業の方々。

他にもサポートいただいた方々は数知れませんが、実現に向けて多くの壁を越えることにご協力いただき、本当にありがとうございました。この場を借りてお礼を申し上げます。

こうして2018年、10周年を迎える年に都市型フェスティバル「LEAP DAY」として単独実施が実現できる条件が揃うことになります。

琉球frogsから切り離したことで、「人財育成を軸に、ソーシャルインパクトを最大化する」をコンセプトにしたイベントとして、これまでにない進化を遂げました。

今までサポートいただいたスペシャルサポーターの方々を、県外はもちろん海外のシリコンバレーまでお声がけして、超豪華ゲストたちが沖縄に集結することになります。

さらに社会起業家として活躍している人たち、スタートアップしたばかりの起業家や、未来のために奮闘している人たちに、年齢や立場関係なく登壇してもらい、参加者全員で「未来を考える2日間」を実現することができました。

おかげさまでご参加いただいた人は、両日で延べ2200名超！　想像以上の大成功で終えることができました。規模拡大しすぎて大赤字になったということは除いてですが（笑）。

これにより、日本各地で都市型フェスティバルとして開催しているNoMaps（北海道）、078神戸（兵庫県）、明星和楽（福岡県）との連携も動き出し、地方創生という面でも、日本各地から注目されるイベントへと発展できました。

翌年2019年、新型コロナウィルスにより社会生活が変わる直前の12月には、2日間で延べ3300人の参加者とさらなる成長を遂げ、しかもそのうち28％が県外や海外からの参加者です。

2019年から茨城県で常陸ｆｒｏｇｓが始動し、全国からｆｒｏｇｓプログラムへの注目が集まったことも関係したかもしれません。2021年には北海道でＥｚｏ ｆｒｏｇｓがスタートし、2024年には宮崎県で宮崎ｆｒｏｇｓがスタートすることで、全国各地で開催されるＬＥＡＰ　ＤＡＹで選抜された学生が、沖縄のＬＥＡＰ　ＤＡＹに集結するという流れも生まれ、人財育成の甲子園的なポジションを描けるようになりました。
結果として、新型コロナウィルスに翻弄された時期も乗り越え、「人財育成を通じて、未来を創る都市型フェスティバル」としてのカタチを確かなものにしていきました。

## そしていよいよ！　株式会社FROGS設立

ＬＥＡＰ　ＤＡＹを成長させている最中の２０１７年９月27日に、株式会社ＦＲＯＧＳは設立されました。

まさに10周年記念・ＬＥＡＰ　ＤＡＹ大規模開催に向けて準備を進め、同時に琉球ｆｒｏｇｓ９期を運営している時期でもありました。

もともと株式会社レキサスに籍を置く私が、人事担当執行役員として平日業務をする傍ら、週末にボランティア的に運営していた琉球ｆｒｏｇｓという社会貢献的な人財育成プログラム。

さまざまな人を巻き込む中で地域社会からの期待も高まり、その業務に本業にも負けず劣らずなエネルギーが必要になってきました。

また、琉球ｆｒｏｇｓ財務の中心的役割を9年間に渡り担ってきたレキサスとしても、今後もｆｒｏｇｓプログラムを継続するためには、人材育成部門を事業化せねば経営圧迫をきたすとの判断もあり、レキサスから完全に切り離し、独立する決意をすることになりました。

これが２０１７年7月のことです。

私は決めたら早いんです。9月末の起業に向けて、自らの出資金の調整、株主として出資してくれるであろう方々への声かけ、そして約3000万円の出資が決まった後の普通株や劣後株の発行から登記まで、必要なことを進めていきました。

私が起業するにあたり「私はいつか学校を創ろうと思っていた。今まで琉球ｆｒｏｇｓを運営してきたあなたが、人財育成で起業するならもちろん出資するよ」と、快く二つ返事で応じてくれた柏谷 泰行さん。

「山ちゃんはいつまで経っても、私にとって新入社員みたいなものだ。ダメになるかうまくいくかはわからないが、私の名前があることで役に立つなら、あげるつもりで出資するよ。いくらぐらい？」とダメ出しをしながら応援してくれた村石 久二さん（新卒で入社した会社の創業者）。

そしてレキサス創業者でＩＴ ｆｒｏｇｓの創設者でもある比屋根さんが、沖縄社会で未来のために汗をかいている起業家や社会活動家のサポートをするために立ち上げた「うむさんラボ」から出資を受ける形で、無事会社を立ち上げることができました。株主の皆さんにはとにかく感謝しかありません。

実は株式会社FROGSの取締役には、琉球ｆｒｏｇｓの卒業生がいます。8期選抜生の畑中 ひらりさんです。彼女は、2017年4月から学生インターンとして私をサポートしてくれています。ですからレキサスから独立し起業することを決断した7月に、真っ先に相談しました。「起業することになったけど、一緒に役員やる?」と。

その時、まだ大学4年生だった彼女は間髪入れずに「はい、やります!」と答えてくれました。彼女たちにアントレプレナーシップを育んだ私ですが、正直驚いたほどです。

私は「焦って決めなくても、大切な将来のことだからご両親などに相談してからでも構わないよ」と返しました。

でも彼女は答えを先延ばしにしませんでした。そこに迷いはないようでした。彼女とともに未来を創れることが、嬉しかったです。

彼女は今もまだ取締役として頑張ってくれていますが、その間に結婚も出産もして、人として成長していく姿も私に見せてくれました。

株式会社FROGSの取締役は、私を含む3名の役員で構成されています。実は、もう一人の取締役も琉球ｆｒｏｇｓ卒業生。7期の國吉 イチさんです。

彼は高校3年生の時に琉球ｆｒｏｇｓに選抜されたのですが、高校卒業時に「日本の大学に進学する意味が見出せない」と、海外でプログラミングと英語を身につけるために留学し、そのままその留学の運営会社に就職することになります。そこで学校運営や事業経営の経験を約4年間積みました。

そして沖縄に戻ってきたタイミングで株式会社FROGSにジョインしたのです。即戦力として大活躍してくれていたので、入社後半年〜1年くらいの頃に取締役就任をオファーしたのを覚えています。

また、もう一人FROGS社を語る上で外せないメンバーは、琉球frogs卒業生で8期選抜生の嘉数 涼夏さんです。彼女は2023年4月現在、ただ一人の正社員雇用メンバーです。

というのも、FROGSは出勤義務もなく自己を律して自由に働くプロ集団なので、兼業もありですし、正社員にこだわる理由もないことから、業務委託契約やアルバイト契約、スポット協力やインターンシップなど、さまざまな雇用のスタイルで関わっているメンバーがほとんどです。

その中で正社員になってもらったのは、frogs ismを身体で理解し、思考と言動が一致していて、成果を確実にあげてくるところを見込んだから。8期選抜時はごく普通の大学生だった彼女が、自分の人生にとってなくてはならない存在になるなんて想像できませんでした。そんな彼女には、今、執行役員という役割で活躍してもらっています。

ｆｒｏｇｓメンバーとして関わってくださる人を紹介すると、エピソードが尽きないのですが、あともう一人だけ紹介させてください。英語メンターとしてＩＴｆｒｏｇｓ時代からボランティア（のちに業務委託契約）として参加するジョン・Ｄ・ツォイさんです。国際会議の同時通訳などで多忙に活躍する中、私たちの活動への想いに共感し、長きに渡りサポートに加わってくれています。土日開催の研修や、時には遅い時間の学生メンタリングにも積極的に携わり、ｆｒｏｇｓ生たちの英語プレゼンのクオリティ向上に欠かせない人物です。

起業を決断してから時間がない中、ＮＰＯか株式会社のどちらにするかを、ソーシャルインパクト投資やＥＳＧ投資の専門家などに相談しつつ決断しましたが、事業継続すればするほど株式会社とＮＰＯの中間のような存在だな、と自己認識が強まっています。

銀行からの融資などもあるので、当面法人格の変更はできませんが、いずれＮＰＯとして分社化することや非営利型株式会社に変更することなども視野に入れて会社運営をしていく予定です。

そのためにもロジックモデルは重要で、株式会社ＦＲＯＧＳが存在する意義や意味として公式サイトでも宣言しています。ぜひ当社ＷＥＢをご覧ください。

株式会社として存続するためには売上や利益のＫＰＩは重要な指標になるのですが、弊社の性質上、ロジックモデルのＫＰＩこそが最も重要な指標と位置付けています。

協賛企業からの協賛金や個人からの寄付、株主からの投資にしても、従来のような金銭的還元でなく、社会を変革していくソーシャルインパクトに期待して私たちに資金提供してくれているのでは、と思っています。人財育成を通じて、地域や社会の未来を創ることを期待されているからこそなので、その成果をロジックモデルとして公表することこそ、大事な姿勢だと捉えているのです。

## 日本各地に広がるｆｒｏｇｓプログラム

「たった一人の想いが、未来を変えてしまうことがある」

これが私がｆｒｏｇｓプログラムを続ける中で、一番しっくりくる言葉です。

前身となった「ＩＴ ｆｒｏｇｓ」も、比屋根さんの熱い想いが出発点でした。そして、ｆｒｏｇｓプログラムが、沖縄だけにとどまらず全国に展開することになるのも、ある一人の熱い想いがきっかけでした。

株式会社ＦＲＯＧＳを設立した２０１７年、その12月に開催したＬＥＡＰ ＤＡＹに、茨城県から来てくださった鬼澤 慎人さんがその人です。

鬼澤さんは経営や人づくりの支援などで幅広くご活躍されている人で、初めてお会いしたのはその数ヶ月前のことでした。その際に、琉球ｆｒｏｇｓの活動や創りたい未来についてお話ししたところ、すぐに年末のＬＥＡＰ ＤＡＹへの参加を決めてくださいました。

わざわざ茨城からお越しいただき、その感動を詳細にブログに書き留めてくださった上に、

Facebookにまで投稿してくれたことを今でも忘れません。その年の私たちのキャッチフレーズ「今を壊せ。」を「=未来を創る」の意味だと解釈してくださり、若者たちのプレゼンやさまざまなゲストの登壇に胸を打たれ「これを茨城でもやりたい!」とまで言ってくれたのです。

そんな鬼澤さんの想いを受けて常陸ｆｒｏｇｓのファウンダーとして立ち上がったのが、茨城でＦＰコンサルティングに取り組む小林 竜也さんです。彼が仲間に声かけして一気に実行委員会が組織化されました。

そのうちの一人が、現在、常陸ｆｒｏｇｓ実行委員長を務めることをきっかけに起業した菅原 広豊さんです。私たちの想いが引き継がれ、沖縄から遥か離れた茨城の未来を変えようとしているんですね。

次に立ち上がったのが北海道でした。Ｅｚｏ ｆｒｏｇｓ代表の大湊 亮輔さんも、沖縄のＬＥＡＰ ＤＡＹを観にきたことで感化された一人です。

地域活性化を支える会社を経営する大湊さんは、２０１９年にＬＥＡＰ ＤＡＹを観て衝撃を受け、「これを北海道でもやりたい!」と思うまでになります。

コロナ禍によるさまざまな制限がある２０２１年から始まったために、どうやったら開催できるかを徹底的に考え「完全オンラインでやろう！」と決意を固め、Ｅｚｏ ｆｒｏｇｓ第１期をスタートさせました。

そんな北海道とほぼ同じ頃に動き出したのが、高知県です。なぜ高知県かというと、株式会社アルファドライブ代表・麻生 要一さんとのつながりでした。

麻生さんは、琉球ｆｒｏｇｓのスペシャルサポーターとして長く関わってくれている方です。そして、日本を元気にするための地域・企業活性化の事業をなさっているのですが、その一つのピースとして、若年層にアントレプレナーシップを育むｆｒｏｇｓプログラムの重要性を、常日頃から各地で唱えてくれていました。

そんな麻生さんの会社が、「株式会社アルファドライブ高知」をつくってしまうほど、高知の地域にコミットしており、この地にｆｒｏｇｓプログラムを導入しようとなりました。

そこで、株式会社アルファドライブ高知が主幹事会社として、実行委員会が組成されました。

アルファドライブ高知代表・宇都宮竜司さんが龍馬ｆｒｏｇｓの実行委員長に就任され、Ｅｚｏ ｆｒｏｇｓと同じく２０２１年に第１期がスタートしたのです。（※２期目で龍馬ｆｒｏｇｓは休止）

２０２４年には、宮崎県で宮崎ｆｒｏｇｓがスタートしました。他にも、新潟県で新潟ｆ

ｒｏｇｓ、栃木県で栃木ｆｒｏｇｓなどが、立ち上げに向けて各地で検討を進めています。（※2024年1月末現在）

このように、日本各地でｆｒｏｇｓプログラムが広がっていっています。この波及の要因は何かと考えてみたところ、2つの理由にたどり着きました。

1つ目は、教育改革の流れです。高校では探究学習が導入され、文部科学省としても地域社会を巻き込みながら「生きる力」を育むために学習指導要綱を刷新しています。それが、2020年から小学校、2021年から中学校、2022年から高等学校へと導入されているのです。

そして、これからは受験やテストのための詰め込み教育ではなく、学びを生活に活かす力を育むことを宣言しています。

周りの人とともに考え、新たな気づきや豊かな発想を伸ばし、知識と知識がつながる面白さを体験できる授業を実施し、主体性や粘り強く取り組む力を育てることで、将来に役立てようというものです。

文部科学省が推進しようとしている「生きる力」こそ、つまりは非認知能力です。非認知能力が育まれれば、学びが楽しくなり、ただ点数を取ることよりも、学びをどう人生に活かすかという発想が生まれます。

まさにｆｒｏｇｓプログラムが立ち上げ当初から今日まで大切に育んできたノウハウと、合致していますよね。これからの時代が、ｆｒｏｇｓプログラムが磨いてきた人財育成の手法を求め出しているのだと実感しています。


2つ目の理由は、地域共創コミュニティを形成しようという動きが全国各地で強まっていることです。

少子高齢化、人口減少という大きな流れの中、地方都市は疲弊し、消費の活性化が見込まれない地域ではシャッター商店街が増え、しまいには駅前にできた大手流通資本までが撤退するなどが珍しくなくなりました。そして、地元の未来に魅力や期待を感じることができない若者たちが大都市圏に流出していくという悪循環に、歯止めがかからなくなっています。

地方創生という名目で、補助金などで目先の数年間をやり過ごしながらだましだまし問題を先送りするより、10年・20年先の未来を見据えて人創りに本腰を入れねばならないという危機感を持った個人、地元企業、行政などが立場や肩書きを超えて共創コミュニティを創り始める時代になったのです。

その時にｆｒｏｇｓプログラムがコアバリューになると感じてもらえているのだと思います。

こうして地域が共創コミュニティを創り始める時代に、ｆｒｏｇｓプログラムの思わぬ副産物「一番の受益者は、大人たちである」が活きてきます。

プログラムそのものの対象者は若者たちですが、彼らを応援する協賛企業や団体、個人、さらに若者が劇的に成長し、変化する様子を間近で見守る保護者や教育関係者などの間に感動や進化が起こります。

そこにさらに、日本や地域の未来を活性化させたいと動く起業家や投資家がどんどん巻き込まれていくので、気がつけばｆｒｏｇｓプログラムをきっかけに大人たちのコミュニティが生まれていきます。教育を含め地域の未来に熱い想いを持つ人たちによる、立場・肩書きを超えた集まりです。

「人財育成を通じて未来を創ろう！」という気持ちからつながり合うため、同じ想いを抱く人同士でビジネスが成立したり、それまで接点のなかった異業種の人脈が化学反応を起こすということが起こってきます。

地域でｆｒｏｇｓプログラムを立ち上げる人に、目先の金銭的利益などの見返りはなく、少なくとも3年間は若者と向き合いながら、同時に地域にコミュニティを形成する苦労に奔走ることになります。

しかし本気でやり抜いた人だけが、3年後・5年後にたどり着ける世界があり、お金には変えられない宝が手に入る活動だと思っています。


さて、ｆｒｏｇｓプログラムがどんな想いから始まり、どのような経緯で今のカタチへと進化・変化し、これからどんな未来を創ろうとしているかがおわかりいただけたでしょうか。

多くの方々に応援されながら大きくなったこの活動をますます全国へと広げ、磨きをかけ、日本のさまざまな地域で社会の財産となるような若者を育てていくつもりです。

## これからの教育現場に「未来人財の育成ノウハウ」を

この本を手に取ってくださる人の中には、教育現場で活躍している人が多いのではないかと予想していますが、私たちは、公教育とは一味違う人財育成の役割を担う「地域社会資源の一つ」として長年ｆｒｏｇｓプログラムを展開しています。

第一章でもお伝えしたように「アントレプレナーシップを中心とした非認知能力開発」「教えない気づかせる育成手法」を軸に人財育成に磨きをかけてきました。

社会課題とテクノロジーをかけ合わせ、継続的な経済活動を通じてその課題解決を図ることを推進するプロセスを体験する若者が、本気で自己と向き合い人間力を高めていくものです。

私たちが15年も前から取り組んできたこの「非認知能力の開発」が、近年、公の教育や義務教育期間にも必要なのではという社会の動きが出てきました。そのため、学校や教員に対して、従来とは異なるスキルやカリキュラムが求められる時代が始まったと感じています。

すでにいくつかの学校や地域単位で、教員が新たなスキルを習得する研修実施や講座運営サポートの依頼があり、ノウハウ提供が始まっています。

今後は、私たちが培ってきたカリキュラムを、学校や地域ニーズに合わせてカスタムし、提供する機会が増えていくのではと感じています。また最近では、大学の研究機関と共同で、非認知能力を身につける前後の記録をデータとして集積し、見える化する試みも始まりました。

ゆくゆくは学校現場や企業採用の場面で役立つものになればと、取り組んでいます。


ではなぜ未来人財の育成ノウハウが必要かというと、大学受験・入試の変革が一つ挙げられます。今の日本の場合は、入学試験の点数が判断基準のウェイトとして重視されていますが、海外のいくつかの国では、過去の実績や人間性、将来性のような人間の資質が合否判断で重視されており、日本もこれからその流れになっていく兆しが見られます。

また、学習指導要領の改訂で、2022年度から高等学校の「総合的な学習の時間」が、「総合的な探求の時間」に変わりました。これにより基本方針が以下のように定められました。

**「第一目標」**

探求の見方・考え方を働かせ、横断的・総合的な学習を行うことを通して、自己の在り方生き方を考えながら、よりよく課題を発見し解決していくための資質・能力を次のとおり育成することを目指す。

**①探求の過程において、課題の発見と解決に必要な知識及び技能を身につけ、課題に関わる概念を形成し、探求の意義や価値を理解するようにする。**

**②実社会や実生活と自己との関わりから問いを見いだし、自分で課題を立て、情報を集め、整理・分析して、まとめ・表現することができるようにする。**

**③探究に主体的・協働的に取り組むとともに、互いの良さを生かしながら、新たな価値を創造し、よりよい社会を実現しようとする態度を養う。**

（文部科学省：平成30年高等学校学習指導要領より）

まずは高等学校に導入されていますが、今後は中学校・小学校にも導入され、従来の講義形式ではない「探究型授業」が必修科目として導入されることが予測されています。

さらに2022年5月末には、文部科学省が、2023年度から小学校・中学校・高等学校においてもアントレプレナーシップ（起業家精神）を育むカリキュラムを推進すると発表したことがニュースになっており、いよいよ非認知能力開発に国が本気を出すという姿勢が明確になりました。


実際に私たちのもとにも民間経営の塾や専門学校などの経営者から「従来のような受験対策一辺倒な塾や、資格取得だけに特化した専門学校は、保護者から選ばれない時代に突入するのでは？」という危機感を持っているというお話が寄せられています。

そこで、若者たちの未来に寄り添う大人たちに、ｆｒｏｇｓプログラムが長年培ってきたノウハウやスキルの提供が役に立つ時期が来たのではと、ワクワクしています。私たちの取り組みが、この国の未来創りに活かせるフェーズに突入したことを、大変嬉しく思います。

**・教えず気づかせる育成手法って、どういうこと？**
**・非認知能力の育み方は？**
**・気づかせるための「問いのデザイン」って？**
**・どんなカリキュラムを組めば、非認知能力は磨かれるの？**

## ・NGワードやNG行為を知りたい！

などの疑問はありませんか？　教員や講師の先生方から保護者の皆さんまで、子ども時代にそのような教えを受けた人はほぼいませんよね。何から始めるか、どう接するか、わからないのは当たり前です。

だからこそ私たちのノウハウをお伝えし、非認知能力開発の育成手法を持つ大人を日本に増やしていきたいと考えています。

私たちは各地域の教育関係者の方々とも、手を取り合い未来を創っていきたいと考えています。それぞれの場所で、若者に寄り添う大人たちにも力をお貸ししたいのです。そんな想いから、未来人財の育成ノウハウを教育者向けに提供したいと考えています。あなたもぜひこの力を身につけて、身近に関わる若者たちに未来を生き抜くスキルを育んでもらってください。

# 第六章

## frogsプログラムで「学生を超えた学生」を育てよう

## 進化し続ける半年間のプログラム

この第六章ではついに、「ｆｒｏｇｓメンターは具体的にどんなことをしているのか?」「もし、地域でｆｒｏｇｓプログラムを始める場合、どう運営すればいいのか?」など、実践的なことをお話しします。ｆｒｏｇｓ生への選抜を検討し、どんな学びがあるか知りたい若者やその保護者の皆さん、ｆｒｏｇｓメンター・Organizerになりたいという人には大変有益な内容になると思います。

２００８年から継続しているｆｒｏｇｓプログラムですが、今日まで「同じプログラムを2年連続で提供しない」と心に誓い、運営しています。つまり、都度内容を見直し、プログラムを進化・変化させているのです。もちろん手間も労力もかかります。それでもわざわざそれをするには2つの想いがあります。

**①人財育成は、常に未来志向であるべき！　つまり、運営側が未来を見続ける努力をすることが重要。だからこそ、常に時代を見据え、プログラムのアップデートを施していく。**

## ②10年・20年先の未来を生き抜く若者に進化や変化を求めているのに、運営側が進化しないなどもってのほか。

ですから、初期の卒業生からは、「私たちの時のプログラムと、かなり違いますよね～？」と、冗談まじりで言われることがあるほどです。そのくらい、変わり続けているのです。

皆さんは、ダーウィンの進化論にあるこんな文言をご存知でしょうか。

「最も強い者が生き残るのではなく、最も賢い者が生き延びるのでもない。唯一生き残ることができるのは、『変化できる者』である」

つまり、激変する時代こそ、柔軟に対応する努力が肝心なのです。ｆｒｏｇｓプログラムは、これからもますます変化・進化しますよ！

# 説明会から、選考会までの流れ

## 説明会

実際に地域でｆｒｏｇｓプログラムを運用する時、選考会の前にまず地域で告知を行い、説明会を開催します。

この説明会はおよそ4〜5時間という、かなりの長時間イベントです。そして、この会に参加した学生は、スタート時に緊張した顔をしていても、終盤には意気揚々とした清々しい表情に変化することがほとんど！　なぜなら、進行役のメンターが、彼らのワクワクを引き出す工夫をしているからです。その秘訣を5つお伝えします。

### 1　ｆｒｏｇｓプログラムをプチ体験できるワークショップ

一方的に大人の話を聞くのではなく、学生参加型なので、時間が足りないほど楽しく感じる。

## 2 学校ではなかなか聞けない未知の知識

前半のインプットで、未来志向の知識を知らせ、後半のワークショップでは、そのアウトプットができるから、心からワクワクできる。

## 3 さまざまな年齢の学生とグループを組む

もし友だちと来ても、グループ分けでは多様な年齢の初めて会う若者同士でグループになる。知らない人とのコミュニケーションを通じて、自分の人間力に（良くも悪くも）気づくことができる。

## 4 ゼロから生み出す面白さ

知識を詰め込むのではなく、自ら考え、アイデアを出す。そこにやりがいを感じられる学生にとっては、たまらない学びの設計。

## 5 子ども扱いしない

学生のアウトプットへのフィードバックは、子ども扱いするのでなく、本気で向き合う。問いのデザインを大事にし、新たな気づきや視点のヒントを与える。

どれも従来の学校教育と異なり、主体的に取り組むものが多いので、時間があっという間に感じられます。

ただし、最も大事なのは、当日進行するメンターのスキルです。

ただマニュアルに沿って進めればいいわけでなく、参加者のワクワクを引き出す力が必要です。進行役の熱量と若者の心を惹きつけるスキルで、盛り上がりに差が出るのは事実です。

学生に説明して「あげる」というのでなく、一緒に未来を創ろう！　という熱意や、この人と一緒にやってみたい！　と思わせる魅力を、進行役は磨く必要があります。

## 選考会

説明会を通じてｆｒｏｇｓプログラムへの興味を持ってくれる学生と触れ合った後日、いよいよ選考会が始まります。ただ、選考会の実践的な話題は、応募をご検討の若者やその保護者の皆さんもこの本を読む可能性が高く、少し書きづらいのが正直なところです。

過去に一度だけ、選考ポイントを開示したことがあります。するとその翌年、学校の先生や保護者の方の中に、お子さんへの選考会対策を講じる人が出てきてしまいました。

これは、私たちが実現したい社会と真逆のことです。ですから、選考のポイントはその後一切開示しないことにしました。

また、人数の目標も立てません。大切なのは、選考基準をブレさせないこと。もし、該当する若者が多ければその年は人数を増やし、あまりいない年は無理に増やすことはしません。あくまでも人物重視で選抜を実施します。なぜなら、私たちはｆｒｏｇｓ生の『受講費無料』を貫いているからです。

短期的な見返りは求めず、この活動の主旨や想いに共感いただいた企業や個人の協賛金や寄付で運営しているため、人数は気にせずに、本気でふさわしい人物か否かをじっくりと見極めています。書類選考で不合格になったことは、創設期から一度もありません。応募者多数の場合でも、必ず一人ひとりと向き合って判断しています。

選考手法もかなりこだわった設計になっており、参加学生に多くの気づきを持って帰ってもらえるようになっています。そのため、最終選考まで進んだ若者は、たとえ不合格で悔しい思いをしても、合否に納得がいかないということはないほどの濃い時間を過ごします。

運営も応募者も相当なパワーを注ぎ込む選考会ですが、学生も人生が大きく変わるチャンスですし、私たちも、選抜次第でその年の全てが決まるので、大切なものと位置付け、エネルギーを費やし取り組んでいます。

## ビジネス構築に向き合う基礎を知る8つの事前研修

選抜が終わると、若者たちは事前研修を受けることになります。ｆｒｏｇｓプログラムの中心となるコンテンツは、「グローバル研修」と呼ばれるものです。

コロナ禍で世界が一変する前は、イノベーションの聖地と言われていたアメリカ西海岸のシリコンバレーやサンフランシスコに10日間派遣研修を実施するというものでしたが、現在は、世界各国で活躍している起業家・投資家・エンジニアなどから講義を受け、自分の課題解決プランを彼らにプレゼンし、フィードバックをもらうという学びに進化しています。

これを一つの目安に、事前・事後の研修があるという流れになります。つまり、グローバル研修に備えて受けるのが事前研修ということです。

再三お伝えしているように、ｆｒｏｇｓプログラムでは、大人が子どもに正解を教えたり、特定の答えに誘導することはしません。そもそも、まだ誰も解決できない未知の課題に立ち向かうのがここでの学びなので、大人にも正解はわかりません。

そこで、グローバル研修に関してもそれを受けるからには、学びを意義あるものにできるかどうか、自分自身に問いかけてもらうことが必要です。そのために、さまざまなことにチャレンジできる場を若者に提供します。

というわけで、知っておくと何かを解決する時に役立つメソッド・知識を提供するのが事前研修の主な内容です。大人が教えるのはここまでで、その知識をどう活かすかは、ｆｒｏｇｓ生自身に委ねられています。２０２４年の現時点では、主に８つの学びを用意しています。

## 1 kickoff研修

現在の己の立ち位置、強み・弱みを把握する。そして仲間の個性を知り、ＳＥＬ（Social Emotional Learning）研修を経て心理的安全性を高める。自分のキャリアを描き、今後の言動にコミットすることで、発言の重みを楽しむ環境を作る。

## 2 社会課題を知る

社会に存在する課題の多様性や、そもそもなぜ課題は解決されないかなど構造的なことを学び、社会を俯瞰する視点を育む。そして、自分は何に感情が揺さぶられるのか、自分の原体験や潜在意識はどこにあるのかなど、自分自身の価値観にも気づく。

## 3　ワクワクする未来を考える（※2023年導入）

自分が創りたい未来とはどのようなものか理解し、常識を壊す発想手法で、思考を飛躍させる経験をする。その未来を、より柔軟な発想で創り上げるイメージを膨らませる。

## 4　スタートアップとは

スタートアップ3原則を知り、起業との違いを学ぶ。他にも、ビジネスを構築する上で最低限知っておきたいリーンキャンバスやデザイン思考などのメソッドやコツをレクチャーし、今後に活かせるように。

## 5　テクノロジーの可能性

凄まじく進化し続けるテクノロジー。日本の教育では文系理系を早期に区別してしまうため、その可能性を知らない学生も多い。世界の未来を変えるためにはテクノロジーの可能性を知り、発想を広げる力を養う。

## 6 プレゼンテーション研修基礎編

人から共感を得られる伝え方を学ぶ。プレゼンス・シナリオ・デリバリーという3つの基礎を習得することで人生のチャンスが広がることに気づけるように。

## 7 英語研修

完璧に話すより先に、「英語を使おうとするマインド」を育む。グローバル研修では一切日本語ができないゲストとコミュニケーションする必要があることを知り、自分がその出会いを楽しめるか、苦手意識を持ってしまうのかに気づく。

## 8 サービス構築

各チームが構築している社会課題を解決するビジネスプランについてメンタリングを実施。この時メンターは、助けてあげよう、教えてあげようという気持ちで接するのでなく、適切な問いのデザインで若者の自ら気づく力を引き出す。

以上です。

この本を読む皆さんのほとんどが、学校の課外学習などで、有識者や起業家などの講演会を聞いた経験があるのではないでしょうか。けれど、その話を覚えていたり、何か実際に行動を起こした人は少ないと思います。

つまり、世界各国で活躍しているすごい人にどれだけ中身の濃い話をしてもらっても、ただ受け身でぼんやり聞いているだけでは、得られるものや気づきはほとんどありません。いっときの刺激を受けたとしても、すぐ日常に戻るだけです。

ところが、事前に徹底的にビジネスプラン構築に向き合う体験をし、若者の中に自分の意見や軸というものが生まれていれば、ゲストにそれを伝えようという意志が生まれます。というか、伝えずにはいられなくなり、積極的に動き出すのです。

世界で活躍するような人物は、真剣にぶつかればぶつかるほど、子どもだからとあしらわず、厳しくも愛あるフィードバックをしてくれるものです。挫折を味わったり、自信がついたり、その両方が若者の血肉となっていきます。そのための準備期間を、事前研修として大切にしています。

## 世界で活躍する起業家などに学ぶグローバル研修

事前研修で力を磨いたｆｒｏｇｓ生たちは、ついにグローバル研修を受けることになります。ｆｒｏｇｓプログラムは、７月から12月まで実施されますが、スタートから２ヶ月弱のタイミングで、世界で活躍する人物から学べる最高のチャンスがやってくるのです。限られた時間の中で、どこまで本気でやり切れるか、チャンスを活かせるか。その他大勢の若者としてゲストと関わるのか、自分のことを絶対に覚えてもらおうと個性を活かした関わり方ができるのか。それはそのｆｒｏｇｓ生次第です。

人生とはある意味で、不公平こそ公平であり、全ては本人次第。そんなことに気づいてもらいたいので、ゲストに接する際も、ｆｒｏｇｓメンターが若者に全てのお膳立てをすることはしません。これまでの学校生活で馴染んだ習慣と、実社会を生き抜く実践とのギャップを、実感から学ぶ意味も込めています。

グローバル研修では、良い面も悪い面も自分自身と向き合い、気づきが起こる場面が多く、後半の学びに進む時のモチベーションを大きく左右します。そこには、こんな厳しさと成長があります。

・ゲストからのフィードバックに一喜一憂するが、「世界で活躍している」という共通点はあるものの、みんなそれぞれ意見が違う。簡単に正解は得られず、最終的には自分でアドバイスを取捨選択し、決定を下し、前に進むしかないと気づく。

・ちゃんとやっている人にしかチャンスは訪れないことに気づく。

・自分が同期の仲間と比較して、どんなところが秀で、どこに改善の余地があるのか。痛いほど向き合うことになり、気づきが起こる。

・世界で活躍する起業家や投資家など、人生を賭けてビジネスに取り組む人物の迫力に触れ、自分の甘さに気づく。

・どんなに大変でも、めざしたい世界や実現したいビジョンのために突き進んでいる大人たちの輝きを浴びる。

**・いきいきと人生を謳歌している人たちに、共通の要素があることに気づく。**

**・世界には多様なタイプの人間がおり、その数だけ価値観があることを知る。自分がこれまでに見聞きしてきた世界の狭さに気づく。同時に、世界に興味が広がり始める。**

**・毎週土・日、４週間連続でグローバルゲストとコミュニケーションする。ゲストの数は、約20名！　１週間単位でみるみる磨きがかかり進化を続けられる人、そうなれない人との差に気づける。**

このように、実に多くの気づきに恵まれるのがグローバル研修の醍醐味です。

## 一人ひとりの成長に寄り添う事後研修

グローバルゲストとの刺激的な学びから、多くの気づきを経験したｆｒｏｇｓ生たちは、これを糧に後半戦に突入し、事後研修が始まります。個々の成長に大きな差が生じてくるのがこの時期です。

事後研修は、自己主体性が育まれていることを前提にプログラムが設計されており、自分ごととしてすぐ行動に移せる若者と、「やらねば！」と頭で理解していても、あらゆる理由をつけて動かない若者との差が明確になります。

メンター側も試される時期です。どんどん行動し、進化し続けるｆｒｏｇｓ生をさらに高めるための問いの投げかけをする一方、動きのないｆｒｏｇｓ生に対し、口出しも手出しもせず、本人が自ら気づくまで待つという辛抱・忍耐が要求されます。

成長度合いは人それぞれですが、およそ3つのパターンに分かれる場合が多いです。

**①課題解決プランの軸が定まる。解決策のプロトタイプを作り始めたり、MVP検証に向けて、どんどん爆進していくタイプ。**

**②認められたい、成長したい一心で頑張るものの、課題解決への情熱が未熟なため、グローバル研修で燃え尽きたようになってしまう。事後研修からは、改善・検証の動きが鈍るタイプ。**

**③グローバル研修で自信をなくし、自分の本気と向き合うことを避け始めたり、プログラムから逃げ出したくなるタイプ。**

成果発表会であるLEAP DAYまで残り3ヶ月ほど。事後研修の狙いは、この時間をどう過ごすかを自らに問うことで、原因と結果は自分に跳ね返ってくると身をもって経験することです。LEAP DAYを最大限のチャンスにできるのかも、この研修での頑張りにかかっています。

普通の学校では、みんなが公平に発表する時間や機会が設けられていることが多いですが、LEAP DAYでは登壇するかやめておくのかも、選抜生が自分で決められます。

社会では、やり抜いた人や打席に立とうとする人だけが見える景色があるということに気づいてほしいのです。

辛ければ逃げてもいい。未だ本気になれない自分と向き合い続けてもいい。いっそＬＥＡＰ　ＤＡＹに登壇しなくても構いません。ただ大事なのは、それがどう自分の人生に跳ね返ってくるかを学ぶことです。

若者の長い人生で、ＬＥＡＰ　ＤＡＹもあくまで通過点。何もできず終わってしまっても、その後行動に変化が起こるかもしれない。それくらい、本人の主体性を信じる人財育成に徹します。

地域や協賛企業がいる手前、本人の気持ちが中途半端なのを隠してＬＥＡＰ　ＤＡＹの体裁を整えようとか、そんな大人の事情を差し込んでしまっては、本気の人財育成ではなくなってしまいます。

だからこそ、ｆｒｏｇｓ生一人ひとりの成長にメンターたちがじっくり寄り添うのが事後研修の肝なのです。

## Pitch Review Dayや合宿でモチベUP！

グローバル研修のすぐ後、事後研修が始まる前に「Pitch Review Day」というイベントを設けています。ざっくり説明すると、関係者向けの中間発表会です。このタイミングでPitch Review Dayを設定するのには、狙いがあります。それは主に、以下の4つです。

**①グローバル研修を経て、ＬＥＡＰ ＤＡＹに向けた目標と考動を見直し、それを自分やチーム、関係者に宣言することで、やり切るモチベーションが湧く。**

**②準備から当日の運営まで、全てをｆｒｏｇｓ生に実施してもらう。そして、協賛企業や寄付者を、どうおもてなしするのか、どう感謝の気持ちを伝えるのか、どう自分たちの活動や成果を伝えるのか。それらを考え、気づくきっかけをつくる。**

**③Pitch Review Dayで、課題解決サービスのプレゼンを行うと、高い反響を得る人、厳しいフィードバックをもらう人、反応すら得られない人、プレゼンすることを選択せ**

**ず裏方に徹する人など、若者たちに大きな差が出る。そこで各自が何に気づき、いかに今後に活かすか、向き合うきっかけにする。**

**④公開イベントではなく、あくまで関係者のみのクローズイベント。そして、協賛企業や寄付者など活動を支援してくださる地域の方々と、frogs生が触れ合う大事な機会。さらにLEAP DAYほど洗練された発表ではないため、若者たちの荒削りさや、あがきや苦しみのプロセスを見てもらうことができる。大人たちも、若年期の成長痛の重要性や、人財育成の真の価値と向き合ってもらう。**

そして、Pitch Review Dayが終わると、LEAP DAYに向けた個人戦が始まります。チーム単位や個人単位で、いかにモチベーションをアップさせ、日々のPDCAを回していくかが要になります。

LEAP DAYまであと2ヶ月弱。時間がないことを理解しつつも、うっかり中だるみしがちなこの時期に、実施するのが合宿です。仲間たちと泊まり込みでサービス開発に集中する環境を提供し、意識啓発やモチベーションアップを図ることが狙いです。

また副産物として、同期同士の気さくなコミュニケーションが深まり、一生の仲間として人脈形成する機会になれば、との願いもあります。そのため、内省研修というプログラムを合宿中に実施します。

ｆｒｏｇｓ生同士が数ヶ月間濃い時間を共有する中で、自分自身が見る自分と、仲間から見える自分の違いを確認し、今後自分をどう成長させようかと考えるきっかけを作るためです。

合宿のようなリアルな場で、長時間ともに過ごすからこそ、相手に深く入り込むタイプの研修の意義が生まれるという狙いがあります。

## プレゼンは、日本でも英語にこだわる！

ＬＥＡＰ ＤＡＹでは、若者たちがサービスのプレゼンを英語で行います。しかし、当然ながら来場してくれる人のほとんどは日本人。加えて、英語が得意な人ばかりではありません。日本で開催するのだから、当たり前のことですね。

「それなのになぜ、英語でプレゼンテーションをするの？」と、皆さん不思議がります。プレゼンの目的は「伝えること」。だから、日本人の観客に英語を使うと伝わりづらいことはわかっています。そのため、スライドの見せ方、英単語のセレクト、発音やスピードなど、工夫を凝らし念入りに練習を重ね、本番に挑むのです。

なぜこうまでして、私たちは英語でのプレゼンにこだわるのか？ 理由は3つあります。

**①英語を使ってプレゼンすることで、当日の配信だけでなくアーカイブも含め、全世界にｆｒｏｇｓ生の可能性やチャンスを広げられるから。**

**②英語が苦手なｆｒｏｇｓ生も、これに挑みやり切ることで、達成感や肯定感を得てほしいから。また、英語への抵抗感が和らげば、今後の人生での選択肢が広がるから。**

**③来場者の皆さんにも、英語で喋る若者の姿に、新たな気づきを得てほしいから。ＬＥＡＰ ＤＡＹには、「人財育成を通じて未来を創る」というコンセプトがあり、観客もその例外でないから。**

かくいう私も、ｆｒｏｇｓプログラムをスタートさせる前は、全く英語ができない人間でした。しかし、少しずつ英語に慣れ親しむことで、亀の歩みで進歩しています。

ここで、皆さんと一緒に未来を想像してみたいと思います。目を閉じて、いよいよ数年後に実現化が迫る、メタバースの世界観を思い浮かべてください。リアル世界と仮想世界を自在に行き来する時代が、すぐそこに迫っていますよね。

そんな自由なメタバースの仮想空間で、日本人だけで固まっていたら切なくはないですか？　せっかく世界中の人と交流できる環境で、コミュニケーションしないのは機会損失です。

日本で暮らせば、日本語だけで生きられますし、商圏や思考も国内で完結する場合が珍しくありません。しかしこれからの時代、それではもったいない！　メタバースで、新たな経済圏が誕生する可能性も想像に難くありません。

無論テクノロジーの進化で、同時翻訳機能も大幅に飛躍するでしょう。多言語スキルを習得する意味を問われる可能性すらあるかもしれません。

だとしても、10年・20年先の未来を生き抜く若者には、今のうちから多言語コミュニケーションの重要性を理解してほしいのです。そこにたくさんの可能性があるからです。

ただ語学としての英語を学ぶというよりは、思考の枠を外し未来の可能性を広げる目的で、私たちは英語でのプレゼンにこだわっています。

## ＬＥＡＰ　ＤＡＹがもたらすもの

そしていよいよ、ＬＥＡＰ　ＤＡＹがやってきます。ｆｒｏｇｓプログラム設立当初、半年間の成果を関係者に披露する「最終成果報告会」という名称でした。５期目の時に、「最終」とつくとそれで終わってしまうような感じがして、ここから飛び出していってほしいという願いも込め「ＬＥＡＰ　ＤＡＹ（飛躍する日）」と名付けたことは、すでにお伝えした通りです。

始めた当初は、観客１００人規模のイベントでしたが、地域の期待が高まるとともに、その集客は、２００人、３００人と拡大します。そして、８期選抜生のＬＥＡＰ　ＤＡＹでは、沖縄セルラードーム練習場にて開催し、４７０名が来場する規模まで発展。さらに９期には、定員５００名の会場に６３０名もの人が集まってくれました。10期目を迎える記念の年となる２０１８年には、琉球ｆｒｏｇｓからＬＥＡＰ　ＤＡＹを切り離し、リブランディングを図りました。

「人財育成から世界を変える、都市型フェスティバル」のコンセプトに沿って、食あり、伝統芸能あり、各分野で活躍する人々のセッションあり、若者によるプレゼンありという企画に進化。それに内包される1コンテンツが琉球ｆｒｏｇｓの成果発表、という位置付けです。

繰り返しになりますが、もう一度お伝えさせてください。２０１８年からは、土・日の２日間で実施してきたのですが、２０１８年は延べ２２３３名、２０１９年は延べ３３４９名が来場（うち28％は県外海外からの来場）するイベントにまで成長できたのです。

残念ながら、コロナ禍の影響で、２０２０年は完全オンライン開催、２０２１年はリアルオンラインハイブリッド開催、２０２２年はリアル会場を中心としたオンラインハイブリッド開催と、なかなか大がかりなことができませんでしたが、これを書いている今、２０２４年の12月に向けて過去最大級のコンテンツ数を揃え盛大にぶち上げることが決定しています。

今後はさらに産官学連携を深め、地域の共創コミュニティづくりを推進していこうと意気込んでいます。

さまざまな立場や年齢の人たちが一堂に集い、ともに未来を考え行動し、地域や日本のソーシャルインパクトの起爆剤になるイベントに飛躍することをめざします。

このように今では幅広いコンテンツを内包するＬＥＡＰ　ＤＡＹですが、全体で見た時に、大きく分けて３つの目的と効果があるので、見てみましょう。

**①高度な環境に半年間身を置き、本気になるから起こる成長痛と対峙してきた全国のｆｒｏｇｓ生や、各地域でさまざまなプログラムを経験した学生たち。彼らの成果とリアルな感情を、皆さんに見届けてもらう。**

**②地域や日本の未来を変えるとは、本気であればあるほど、いい意味で「今を壊す」ことになる。若者たちが動き出した時、地域の大人が保守的になり、できない理由を並べて彼らを止めてしまうのではなく、立場や年齢を超えてフラットに協力し合える地域社会を作れないか。「できない」「無理だ」と頭ごなしに否定するのではなく、「どうすればできるのか？」という思考で、大人たちが若者を応援するきっかけをつくる。**

**③ゲストや連携団体、協賛企業や一般来場者など、多様な来場者が時間と空間をともにし、そこから生まれる化学反応や、コラボレーションを楽しむ。想いを持つ人同士がつながるきっかけをつくり、地域・日本の未来創りに貢献できる。**

これらの目的を意識しながら継続してきたことで、副次的な効果もありました。

まずｆｒｏｇｓ生への効果としては、内省が深まることで、本人たちが想像していた以上に、ＬＥＡＰ　ＤＡＹとはチャンスの場なのだと改めて気づくことです。

事後研修の項目でも書いたように、登壇するかどうかを自ら決めるため、やり切る人もいれば、「まだ自分は中途半端だ……」と焦りの中で登壇する人もいます。そんな思考・行動のプロセスが、ＬＥＡＰ　ＤＡＹ本番を経て、どんな結果を招くか。「原因と結果は自分にあるんだ」と痛感することでしょう。

彼らの人生の中でＬＥＡＰ　ＤＡＹは、あくまで通過点です。やり切る人もそうでない人も、それを人のせいにせず、自分に言い訳するのでもなく、「原因は我にあり」と受け止めること。そうやって大切なことに気づければ、今後の人生の力になると信じています。

これは、遅効性の気づきと学びです。数年後に、「あの時・あのこと」が活きてくるのです。それぞれの若者が頑張って取り組んでいると思いますが、覚悟や意識、行動の差が、こうまで結果に影響することを身をもって実感できれば、さらに次の段階をめざせると思っています。

そして、社会や大人側にも大きな変化があります。毎年必ず何人かは、涙を流す大人がいるのです。

泣きながらマイクを握ってコメントしてくれる方や、ステージの外で激励の声をかけてくれる方から、実際にこんな言葉をいただいています。

「自分の娘に対する接し方が間違っていたと気づくことができました。学校の勉強だけが全てではないんですね」

「私は日々の忙しさにかまけ、想いを抑えてきたことに気づきました。今の職場を思い切って退職し、県外でやりたいことを実現しようと思います。人生後悔したくないと、気づけたのです」

「日々の暮らしに精一杯で、社会に無関心なふりをしていました。若い人たちがこんなに頑張っているので、私ができることから逃げずに、立ち向かいたいです」

「会社を経営している立場ですが、若い人たちの真剣な情熱に感動し、涙が止まりません。

人の可能性に再度向き合い、彼らに負けないよう私自身も奮起するつもりです」

「私の学校から生徒が2名選抜されていますが、我が校がすごいのではありません！　偏差値や進学先などのプレッシャーが強烈な本校の中で、周囲に屈せず自分の未来を創ろうと、意志を貫いてきた彼らがすごいんです。私は、もう涙が止まりません」

地域の皆さんの変化・進化の反響に、思わず私の心も熱く震えてしまいます。そこで、ｆｒｏｇｓプログラムやＬＥＡＰ　ＤＡＹの「真の受益者は、社会や大人側である」ということが身に染みてわかるのです。

私も含め、大人たちのほうこそ、若者たちの「未来を創ろうという真剣な姿勢」から、いい影響をたくさんもらっているのです。

## 協賛企業への感謝は行動で示す！

ｆｒｏｇｓプログラムは、家庭の経済状況による教育格差を是正するために、若者の受講料ゼロを貫いていることは、折に触れてお伝えしてきました。これは、私たちの大きな特色であり、高い志だと捉えています。

しかし、皮肉なことに当のｆｒｏｇｓ生たちは、親にお小遣いをもらい暮らしている人が大半です。また、最近世の中でも「お金の教育」の重要性が見直されるようになってきましたが、現状ですと、生きる上でどうお金に向き合うかの教育などを受けていない子どもが多く、お金のありがたみをきちんと意識できない場合がほとんどです。

そこで私たちは、半年のプログラム終了後に、ｆｒｏｇｓ生自ら協賛企業にアポイントを取りつけ、訪問し、自分たちの口から感謝を伝えることを、メニュー化しています。これには2つの狙いがあります。

**①自分だけの力で成長できたわけではなく、さまざまな周囲からの支援があったおかげだという、事実を知る。**

**自分たちに投資してくれた企業で、実際に働いている「人」と顔を合わせることで、支援への想いを知り、心で感じる体験を。そこから、恩返しではなく恩送り（自分たちが成長した時に、これからの人財に還元すること）の重要性に気づき、感謝を抱くこと。**

**②優秀な若者ほど、地域を見限り出ていくケースが多い。若い時期に、親や学校以外の地域で活躍する熱い大人たちに触れる機会を増やす。**

**地域の可能性や地域が自分を育ててくれていることを知り、いつか役に立ちたいという気持ちを育む。**

実際にｆｒｏｇｓプログラムの卒業生が、長い年月を経て、協賛企業や寄付者に回るケースが数多く見られるようになりました。

協賛金だけでなく、ｆｒｏｇｓメンターを買って出てくれたり、中には実行委員会の主要メンバーとなり、運営で活躍する人もいます。こういったエコシステムができつつあるのは、未来の宝だと感じます。

費用面の負担に恩を押しつけすぎるのではなく、彼らが自ら感謝の念に気づき、その心を育む試みとして、今後も継続していきます。

私たちはこのように、さまざまな狙いを持つプログラムを活用して、非認知能力を磨き、地域を巻き込む経験をしながら、さまざまな気づきの中で自分らしく伸びていける人財育成を実践しています。

ｆｒｏｇｓプログラムで成長した若者を「学生を超えた学生」と呼んでも、決して言い過ぎではないと自負しています。

# 第七章

## frogsプログラムで学ぶ人は、誰もが地域の「人財」になる！

## 地域を飛び出す若者こそ、応援しよう！

「ｆｒｏｇｓプログラムの一番の受益者は地域の大人たち」、この章ではこの話題を掘り下げてお話ししたいと思います。

ｆｒｏｇｓプログラムは若者のための学びですが、ここで育った学生の発表や成長を目の当たりにし、思わず涙する大人が毎年のように出ています。

また、成果発表会だったＬＥＡＰ　ＤＡＹが、今や地域全体を巻き込む都市型フェスティバルへと進化し、地域の中で多様な化学反応が起こるなど、実は大人や地域コミュニティにこそ、大きな刺激がもたらされる側面があります。

つまり、非認知能力が磨かれた若者が育つことは「地域の財産」づくりと言っても過言でなく、その意味でも私たちの活動は、人「財」育成なのです。

この沖縄の地でｆｒｏｇｓプログラムを始めた頃、よく耳にしたのが「この地域から都会や海外に飛び出す知識やスキルを、若い人に教えているんだろう？　そんなものを、なぜ応援しないといけないんだ！」「地域のために頑張ると約束した若者にだけ、投資したい。ここを出ていく若者は応援できない」という意見です。

この方々の気持ちは痛いほどわかります。この地で暮らす優秀な若者に、将来ここで活躍してもらいたくて投資するのに、育成後出ていかれるのではやりきれない、無駄だと感じてしまうのはごく自然な心理です。

ただ、優秀な若者ほど地域を飛び出し、大きな舞台を求めるのもまた事実。しかしその若者と地域がどう関わったかで、出ていった後の動きが大きく異なることに気づきました。

まずは、変わらない大人たちや刺激のない日常など、疲弊する地域に見切りをつけて出ていくタイプの若者。このタイプは、よほどのことがない限り地元に戻ることはありません。

そしてもう一方は、地域を何とかしようと活動する熱い大人たちの想いを受け止め、自らも地域課題解決への意欲はあるものの、今のスキルではできることが限られると気づいた若者。

彼らは「都心や世界で経験を積みたい！」と、飛び出しますが、地域といい関わり方をしているため、やがて戻ってきます。都会や海外で身につけたスキルを持ち帰り、本気で地域課題解決に取り組むようになるのです。

両者を比べた時、どちらの若者が増えれば地域の未来が変わるのかは自明の理ですね。

たとえその活動拠点が他県や海外にある場合でも、若き日に抱いた地域への情熱があれば、さまざまな関わり方で故郷に貢献しようとするし、ふるさとへの想いを忘れることはないはずです。

だからこそ、地域で若者に寄り添う大人たちは「地域を飛び出す若者は、応援できない」というものの見方から脱却せねばなりません。

地元に残ることを選ぶ若者も、外に飛び出す若者も、どちらも志と可能性を秘めていることに気づき、ともに未来を創るという背中を彼らに見せること。そして「無理」「できない」など思考停止した言動で彼らの希望を断つのではなく、その挑戦を支えていくこと。

大人側にその姿勢があれば、アグレッシブに海外や都心に飛び出した若者たちも、新たなスキルを手土産に地元に戻ってきますし、遠隔地からでも貢献できる事業に取り組むかもしれません。

それはあたかも「鮭の母川回帰」です。ひとまわりもふたまわりも大きく成長した「次世代リーダー人財」に育って帰る若者を増やすためにも、大人たちこそ人財育成への意識をアップデートする必要があります。

## 地域共創コミュニティの絆が生まれる

ｆｒｏｇｓプログラムを実行すべく各所に働きかけると「人財育成を通じて、地域の未来を創りたい」という想いが地域に伝播していくものです。これに共感した人・企業・団体とがつながり、いつしか一つの大きなコミュニティが形成されていきます。

これこそまさに「共創コミュニティ」と呼ぶべきもので、ｆｒｏｇｓプログラムを地域で展開する際の副産物であると同時に、未来への財産だと実感しています。

共感を軸に生まれるコミュニティですから、自然と価値観やめざす世界観が重なる人・企業・団体が集まります。

そしてｆｒｏｇｓプログラムがハブの役目を果たし、ビジネスをはじめとするさまざまな連携につながることがあります。

若者のためというのが出発点ですが、地域全体を巻き込み想いが広がることで、大人たちの間にも絆が生まれるのですね。

日本各地の地域に、志に燃え、人知れず孤軍奮闘する人やＮＰＯ、企業が実はたくさんあるものです。
また日々の暮らしや目の前の仕事に精一杯で、思考や言動に表しきれてはいなくとも、心の奥底に強い願いを抱く保護者の皆さん、教育関係者の人々もいます。

そんな大人たちが、ＬＥＡＰ　ＤＡＹなど地域に開かれた場で未来に本気で向き合う若者に触れた時、解き放たれたように覚醒する様子を私は何度も見てきました。
これからの時代、持続可能な社会を創るために「これまでにない資本主義」を模索することが必要です。まさに「組織人から地域人へ」と個が変革を求められる社会が、すぐそこに迫っていると感じます。

人財育成と未来への想いを軸に集まる人・企業・団体には、立場、業界の壁、競争原理から生じる軋轢など抜きに、純度高く協力し合える素地があると感じますし、実際に多様な連携が広がっています。

## frogs共創コミュニティ

学生を取り巻く地域と
世界や日本の起業家・投資家との
未来共創コミュニティ

教育関心層
学校・教育団体・
子育て世代・社会的企業

プログラム支援ネットワーク
協賛企業・団体・地域メディア

frogs
人財育成
プログラム

## 親、教員、地域こそ大きく変化できる

長年この活動を継続してきて、ｆｒｏｇｓ生を取り巻く保護者や教員の方々、企業で働く人たちの意識や言動の変化を、私は幾度も間近で見てきました。

価値観の枠が外れ視野や思考が広がるその様子は、まさに「変化」と呼ぶべきものです。これもまた「真の受益者は地域」に通じますね。

その中でも特に印象深かった「大人たちの変化」を、ここに書き記しておきます。

まだ2期か3期だった頃でしょうか。ある企業の社長さんが、こんなことをおっしゃいました。

「おい、君！　この活動には裏があるんだろう？　優秀な学生を育てて、中心となって運営している企業が採用しようとしているに違いない。そんなものを、なぜ私が応援しないといけないんだ！」

私は「それは誤解です！」と、真っ向から想いやビジョンをお伝えしたのですが、その時は全く信用してもらえませんでした。

ところが、数年後のことです。その社長さんから、突然電話がかかってきました。

「君に謝りたい。君が言うことの真の意味がやっとわかったんだ。この活動を応援することにしたから、ぜひ一度会いたい」

「ありがたいけれど、なぜそんな心境の変化が？」と伺うと、少し前に仕事でシリコンバレーを訪れたとのこと。現地でそのカルチャーを体感し、ｆｒｏｇｓプログラムのめざす世界観が腑に落ちたようでした。

未来を創るためにチャレンジする人を地域全体で応援・投資するエコシステムが、シリコンバレーに浸透していることに、何より驚いたようです。沖縄にもこんな環境が必要だと目覚め、私の活動が想起されたそうです。

保護者の方とも忘れられない出来事があります。

ＬＥＡＰ　ＤＡＹが終わった会場の客席で、私のところに駆け寄ってきたｆｒｏｇｓ生のお母さんがいました。お母さんは、涙ながらにこう口にしたのです。

「私、娘の教育方針が間違っていたことに気づきました。こんな機会をいただきありがとうございました」

どうやら「あなたにとっての幸せとは、有名大学へ進学し、大企業への就職、あるいは公務員をめざすことだよ」と言い聞かせ、とにかく塾や学校でひたすら勉強するように娘さんを仕向けていたそうです。

ところが、起業家や投資家たちの講演&トークライブで、彼らの枠に囚われない生き方に感銘を受け、さらに娘さんが情熱を持って興味関心のあることに取り組み、LEAP DAYで堂々と発表する姿、そして何より、ｆｒｏｇｓの仲間たちや地域の観客からの応援ムードを肌で感じ、感極まったようでした。

愛情ゆえではあったものの「私は娘の可能性に蓋をしていたんだ！」と、自らの過ちに気づいたそうです。この日をきっかけに「お母さんがやりたいことを応援してくれるようになり、親子関係が好転したんです」と、娘さんであるｆｒｏｇｓ生が教えてくれました。思わず私まで、温かい気持ちになりました。


学校の先生にも、衝撃的な変化が起こりました。

とある高校で、2年生の担任を受け持っている先生でしたが、ある日、ものすごい剣幕で私に電話をしてきたのです。

「うちの生徒がｆｒｏｇｓプログラムの選抜生としてお世話になっているようですが、この子に一体、何を吹き込んだんですか？」

どうやらその生徒から「高校3年生を休学して、留学したい」と相談を受け、面食らったようでした。先生の怒りはとまりません。

「高3という大学進学直前の大事な時期に、1年間も休学するとは！ 英語とプログラミングを学ぶために海外に行くなんて、何の意味があるんだ。このまま勉強すれば国立大学に進学できる生徒なのに、台なしですよ！」

先生の気持ちは理解できますが、最後は本人の意志です。私たちは何も強制しませんから、どうにもできません。

そしてその若者は、周囲の反対を押し切って実際に留学してしまいます。

それから留学を終えた1年後に3年生としてその高校に復学するのですが、先生は二度目の衝撃を受けることになります。

留学前は、毎日アルバイトのかけ持ちで授業中に居眠りばかりしている無気力な生徒だったそうですが、留学後は英語とプログラミングの腕が一人前になったことはもちろん、知識欲や学習欲が別人のように進化して、教師が教えられる域はとうに超えたと感じたようです。

そこで出した教育方針が「とにかく学校にはちゃんと通う。ただし授業中は、その科目以外でも自分の関心ある分野を勉強していい。さらに学校の図書館に欲しい本がない時は、購入するからリクエストしてください」という異例のものでした。

その生徒は1年分の図書予算を数ヶ月で使い切ったという後日談もあるほど語り継がれて

います。はじめに電話があった頃と比べ、いい意味でその先生の学校教員としての価値観の枠が取っ払われたようでした。その変化を目の当たりにできたことを嬉しく感じています。

さらに学校全体としてｆｒｏｇｓプログラムへの印象が変化するというケースもありました。

ｆｒｏｇｓプログラムで学んだその高校の生徒が、慶應義塾大学にＡＯ入試で合格したことが大きなきっかけになったようです。当初その高校には「どうせこの学校からじゃ慶應なんて無理だろう、受かるわけがない」という諦めムードがあり、生徒の挑戦に消極的だったそうです。

ところがその生徒が非認知能力を伸ばすことで、自分の将来を自分で決めたり、周囲が難しいと引き止めても、可能性を信じて突き進み「慶應合格！」という結果につながったため、みんな度肝を抜かれたようでした。

学校はその時まで「ｆｒｏｇｓプログラム＝起業家育成プログラム」と捉えており、生徒が勉強以外のことに夢中になり学業が疎かになるのを懸念していました。「起業なんて大それたものは、子どもには危険だ！」というイメージもあったかもしれません。

この若者の合格を機に「教えない気づかせる育成手法」に教員として関心を持つ人が増え、

生徒たちに非認知能力を育もうという動きもあり、教育の未来に希望を感じました。

ごく一部ではありますが、印象深かった大人たちの変化をご紹介しました。

もちろん全ての若者と大人の関係が、完璧かついい変化・進化につながっているとは言いきれません。

ｆｒｏｇｓプログラムで非認知能力が磨かれると、若者は自分の意志や意見をしっかりと持つようになりますし、時に今の社会の常識にはない進路をめざしたりもするので、周囲の大人たちがその変容ぶりに困惑してしまうことはしばしば起こっています。

思考や言動の習慣が大きく変わり、旧来の価値観から解放され、未来創造のモチベーションにスイッチが入った若者たちが地域の大人から見ると奇異に映ることは、ある程度は仕方ない面があります。時に大きな摩擦が生じることもあるでしょう。

しかし同時に、若者ががむしゃらに進む姿に大人のほうが価値観を刷新されてしまう場面を私は数多く見ています。

だからこそｆｒｏｇｓプログラムを継続し、地域の皆さんを巻き込みながら、未来のチェンジメーカーやイノベーターをめざす人財を受容し育む社会を創ることに、邁進します。

## 沖縄という地域が人「財」育成の重要性に気づく

ｆｒｏｇｓプログラムがもしこの世に存在しなかったとしても、時代に求められ、沖縄の地域イノベーションはそれなりに進んでいたことでしょう。しかしやはり、私たちの活動で、沖縄の進化スピードを少しでも早めることができたのではと、今振り返ると思います。

プログラムが始まった2008年当時、この沖縄では「琉球大学に進学し、公務員や大企業に就職するのが一番いいこと」と誰もが信じて疑いませんでした。「アントレプレナーシップを育む」、この言葉の意味を理解できる人はほぼおらず、それどころか「起業なんて大それたことを子どもに教える団体に、子どもを近づけてはいけない」など、怪訝な目で見られることもしばしばでした。

これは無理のないことで、実は同じ頃「起業家育成」を看板に怪しい動きをしていた者がいたようです。地域の人々から見ればｆｒｏｇｓプログラムとそれらの区別がつかず、十把一絡げに毛嫌いする向きもあったように感じます。

そのように避けられていた頃から地道に人財育成への想いを地域に伝え続け、今があります。あんなにも保守的で同調圧力が強く、変化・進化を避ける地域性だった沖縄県が、今では日本全国から注目されるイノベーション推進地に様変わりしたことは非常に感慨深いです。

その一端を、琉球ｆｒｏｇｓの成果報告会から地域全体を巻き込む都市型フェスティバルに飛躍したＬＥＡＰ　ＤＡＹが切り拓いたのではと考察しています。

ｆｒｏｇｓプログラムで進化・成長し、がむしゃらに挑戦を続ける若者たちのプレゼンを見た地域の大人たちは、思わずハッとします。「未来なんて、誰かがやってくれるでしょ」など、日々の仕事や生活の多忙さを言い訳に、地域課題をやり過ごしてきた自分自身と向き合うきっかけになるからです。

そして沖縄の大人たちの中に、自分を変えようと動き出す人が現れました。できない理由が出てきた時に、そこで思考停止するのではなく「どうすればできるだろう?」「何か切り口はないか?」など、新たな思考を生み出し、行動を起こす人が目に見えて増えてきました。

次第に沖縄のさまざまな場でカンファレンスやイベントが開催されるようになり、志を持つ人が集まるコワーキングスペースなどがどんどんできて、地域の化学反応が進みました。

ここまで来ると、熱い想いで行動する大人たちの姿がハッキリと浮かび上がってきます。

これまで沖縄は、芸能やスポーツで活躍する人は多いものの、政財界となると姿が目立つのは重鎮ばかりでした。しかし、有名でなくとも地域を動かそうと泥臭く活動する人たちの存在や言動が、コミュニティを通じて見える化しました。この流れから地域の方々に彼らの認知が高まったと感じます。

そしてついには、地方銀行がこぞってスタートアップイベントを主催し始めたり、ベンチャーに出資する流れが、沖縄に生まれました。これは、とても大きな変化です。何かを興そうという人にフレンドリーな県へと、沖縄社会が変わっていきました。

行政が民間に委託し、寂れゆく地域シャッター街をスタートアップの力とコミュニティ創りで再生した例もあります。その地域は、市町村単位を超えて沖縄県全体にムーブメントを巻き起こしました。

加えて、行政の外郭団体が、産業界にイノベーションをもたらす仕掛けを創るのに積極的になったのもここ数年の成果です。テクノロジーで地域産業の各業界を横軸から突き通し、DX化や効率化を図ることで、人・モノ・金の循環にイノベーションが起こっています。

これらどの分野でも「欠かせないのは、イノベーターマインドを持ち得た人財」との認識が沖縄に浸透し、「従来の公教育を超えた次世代の人財育成こそ急務」というムードが高まってきています。そして今後、日本各地のさまざまな地域で同様のニーズが生まれることが予測されます。

いよいよ、ｆｒｏｇｓプログラムが実践してきた学びが本格的に時代に求められ始めたと実感しています。

## ｆｒｏｇｓプログラムのノウハウを、企業に、親子に、先生に！

これまでご紹介した琉球ｆｒｏｇｓや各地で始まったｆｒｏｇｓプログラムは、中学生・高校生・大学生が対象です。それぞれの地域の応募者の中から、私たちの基準で厳選した10名（前後）を選抜し、約半年間に渡って高度な気づきの場を提供します。

そしてここ最近、今まで培ったｆｒｏｇｓプログラムのエッセンスを、ｆｒｏｇｓ生以外のそれぞれの分野の人に合うようにカスタムし、幅広く提供する試みにも取り組んでいます。対象者になるのは、ある時は企業で働く大人たち、ある時は学びを望む子どもとその保護者、そしてまたある時は学校の先生たちと、多岐に渡ります。若者に限らず、その土地で暮らす多様な人々の全てが地域の宝であり、人財だと捉えているからです。

また学びによってみんなが活性化することは私たちの願いであり、ｆｒｏｇｓプログラムが地域貢献できている証拠でもあるので、さまざまな場に果敢に挑戦しているところです。

新たなニーズやリクエストがあれば、これからもますます拡大する可能性があります。

## 企業で働く大人たちのために～企業研修～

ｆｒｏｇｓプログラムは、多くの協賛企業や数百名以上の個人の寄付に運営継続を支えられています。

そのご縁もあり「育成対象が子どもたちだけではもったいない！ ｆｒｏｇｓプログラムを大人向けに応用し、社員研修に使ってみたい」という声や「地元企業数社で合同新入社員研修を行うのですが、ｆｒｏｇｓさんで新しい新人研修メニューを考えて実施してくれませんか？ 若手社員に、未来の視点を育みたいのです」という声を、経営者や人事の方々からいただいていました。

ただ私たちのリソース不足もあり、リクエストにお応えするのが難しい状況が続いていました。けれど、株式会社ＦＲＯＧＳを起業し、人財育成を通じて未来を創るロジックモデルを作ったことで、ようやく取り組めるようになったのです。

現在は協賛金の額に応じて、社員研修に還元するメニューを充実させたり、クラウドファンディングを行った際のリターンとして提供しています。いざ始めてみると非常に好評で、すでに数多くの企業と学びをともにしました。
例えば、こんな研修に挑戦しました。

沖縄県内の大手異業種3社……「次世代リーダー育成研修」を、全5回・半年間かけて実施。「地域課題と向き合い、それを解決するビジネスを創出する」というプロセスを通じ、アントレプレナーシップや新規事業構築スキルを身につけてもらう。

東京に本社を置く損保&金融コンサル会社……新卒入社の中堅社員(入社2~5年目)を対象に「自社課題を当事者意識で改善していくチェンジメーカー」として成長するための、思考や視点を育む研修を実施。

沖縄県内全ての協賛企業……私たちの呼びかけに応じた、若手次世代リーダーの参加希望者(自薦・他薦問わず)に「イノベータースキルや、アントレプレナーシップの重要性」が体感できる研修を実施。社内でイノベーターとして活躍するとともに、同世代の「社外同期的な異業種人脈」を形成するきっかけとし、未来の地域を牽引する人財として、ネットワークを広げてもらう。

協賛企業社員……希望者を募集し、慶應義塾大学大学院システムデザイン・マネジメント研究科の白坂成功教授チームによる「システムデザイン思考ワークショップ」を実施。社内で新規事業構築やイノベーターとして活躍してもらう素地となるスキルを学ぶ。

テクノロジーの驚異的な進化により、働き方や生き方そのものの価値観が目まぐるしく変化する時代がやってきました。大きく変動する世界情勢はもちろん、地域に暮らす人の中にも少しずつ意識の変化が起きています。

併せて、教育変革が声高に叫ばれる昨今、これからの未来を生きる子ども世代と過去の社会を生きてきた大人世代の間に、これまで以上に激しいジェネレーションギャップが生じています。

そのためにも、企業は自社の社員育成という視点だけでなく、社会に生きる集団として変化に対応できる人財の育成が必要です。私たちがｆｒｏｇｓプログラムで若者を対象に培ってきたノウハウを企業で働く大人たちに提供し、子どもも大人もともにこれからの未来を切り拓ける地域づくりに貢献できれば幸いです。

## frogsプログラムをますますオープンに!
## 地域での2つの試み

若者たちにアントレプレナーシップを中心とした非認知能力を育むことを続けていくと、地域の人々と、共通言語(互いの間で共有できる話題・関心ごと)や価値観の乖離が出てきます。だからこそ、地域全体を巻き込んでいく必要があると、前の章でもお伝えした通りです。

その結果、地域全体の意識向上が起こり、協力や理解が生まれることになるのですが「若者を育成できるプレイヤー」になれる人が増えるかというと、その限りではありません。しかしいつまでも一部の人だけが活動しているのでは、育成を受けたくても受けられない若者が多く出てきますし、地域社会のソーシャルインパクトも加速しづらくなってしまいます。

そこで私たちは「教えない気づかせる育成手法」を、地域や興味を持ってくれる人に積極的に公開することにしました。

個に向き合う場面で、教え方マニュアルやシラバスはむしろ逆効果です。公式に当てはめるようなマネや、必ず最後はこうなってもらうとか、こうなったら評価を上げるとか下げるとか、そんなことをすればするほど非認知能力は伸びなくなってしまいます。原理原則を理解し、多様な個性と都度向き合うことが必須なのです。

特に「問いのデザイン」スキルについては、経験値が問われます。初めてこのスキルを身につける時に、自分の発する問いの重みに戸惑う人もいるほどです。

だからこそこの育成手法を深く知ってもらう必要があると感じ、2つの取り組みを始めました。

## 1 ミライアカデミー

まず1つ目は、ｆｒｏｇｓ生に限定せず、地域の小・中学生が自らの意思で希望すれば、誰もが受講できるオープンな学びの場「ミライアカデミー」です。

親子一緒に参加できるコマもあるため、共通言語や価値観が共有でき、家に帰ってからも家庭内でコミュニケーションが充実するようになっています。小学生は年齢が幅広いですが、学年を越えて楽しくわかりやすく体験が積めるプログラムだと好評です。

２０１７年の創業時に受講料をいただく形で2期の間は講座を提供していたのですが、家庭の経済格差が教育格差に直結する格差社会を助長してしまうという矛盾に気づき、提供を休止していました。しかし、2022年度に沖縄県豊見城市で「とみぐすくミライアカデミー」としてプログラムを再開し、今に至ります。

矛盾を解消するために、豊見城市民の税金は利用せず企業版ふるさと納税（国が認定した地方公共団体の地方創生の取り組みに対し、企業が寄付を行うと、税額が控除される制度）を原資にしたのです。そのおかげで、講座を受講するご家庭に授業を無料で提供できるようになりました。「家庭の経済格差に影響しないプログラムを提供する」と豊見城市が決めてくれたことはとても大きく、私も再開を決断することができました。

加えてこのミライアカデミーは、運営継続にあたり私たちが講師をやり続けるのでなく、豊見城市の職員や塾・学校関連の職員の中で、希望する人にプログラム運営のノウハウを引き継ぐことをめざしています。

非認知能力の開発ができる大人を豊見城市の地域に誕生させ、私たちの手を離れた後も持続可能なプログラムを創り上げていくというミッションで合意形成できたことも、大きな決め手となりました。

## 2　教員異端児の会

「教育現場やその運営が疲弊している」というニュースや記事は、皆さんもよく目にするのではないでしょうか。人財育成は「10年・20年先の未来そのもの」なのに、人づくりの場である学校を取り巻くニュースは、暗いものが目立ちますよね。特に公教育の現場は厳しい状況が続いています。

一方、民間経営の多くの学校は、少子高齢化が極端に進む日本で教育過渡期に必要とされる社会資源になろうとさまざまな取り組みをしています。学校としての特徴を打ち出し、柔軟に変化に対応しながら、学校経営を継続しようと努力しています。

最近では特徴ある学びの場を持つ新設の学校が少なからず誕生し、社会から注目を浴びることも増えてきています。

志やスキルを持つ教員が、彼らの理想の教育を実現すべく好条件の民間経営の学校に転職する流れは、止まるどころかどんどん加速しています。

公の教育現場の多くは、変わることを先延ばしにしています。教員は減る一方で、業務効率化が進むはずがありません。そんな状況で多くの先生たちは、過酷な仕事量に忙殺されながら日々をやり過ごすのが精一杯です。

本来教師とは、熱い想いや高い志で子どもたちと向き合い、その成長を支える職業です。つまり国の未来を創る重要な「志事」なのに、教育現場が忙しすぎてそれどころではないとさえ耳にします。

あくまで個人的な見解ですが、このままでは「公教育のスラム化」が止まらないのではと危機感を感じています。地域社会が学校や教員を孤立させず、人財育成こそ自分たちの未来そのものという自覚を持ち、公教育の質を高めていく必要があると考えています。それは、いい意味での共犯者のような関係かもしれません。

熱が入り、思わず前置きが長くなりましたが、そこで発足させたのが「教員異端児の会」です。

どれだけ現場が過酷でも、熱い志を持ち、日々若者と向き合う教員は存在します。私の感覚では、学校単位で数名程度と決して多くはありませんが、その数名が未来の希望になります。

地域、いや国の財産とも言える先生方が、身を削って働いた挙句、周囲の不理解から教員を辞めてしまう、あるいは地域を離れるなどの状況を、どうにか食い止めたい。未来型教育スキルを学ばねばとの意識はあっても、多忙すぎて手が回らない先生方のお役に立ちたい。

未来志向の志を持つ先生ほど、学校という単位の中では孤立しやすいものです。そんな異端児的な存在の先生たちが、学校の外で集結し各自の成功事例を共有し始めたら、どうなるでしょうか！

きっとすごいエネルギーが生まれ、教育の未来を切り拓くきっかけになるかもしれない、そんな想いから立ち上げました。

この会は2部構成になっていて、1部はラフな勉強会、2部は食事をしながらの交流会という形をとっています。「ここは本当に教員の集まりなのか！」というくらい楽しく、熱いディスカッションが飛び交う場となり、参加する度にワクワクしています。

教員異端児のネットワークが全国に広がり、日本の教育界を動かすような集団になってくれたら、未来を生き抜く子どもたちにとってきっと頼もしい支えになるはず！　と期待しています。

いかがでしたでしょうか。

これら企業・親子・教員と、対象の異なる取り組みから「ｆｒｏｇｓプログラムの一番の受益者は地域の大人たち」という言葉の意味が、ご理解いただけたのではないでしょうか。「地域共創コミュニティ」を生み出すには、こうして地域全体を巻き込むことが必要です。

そこで暮らす人たちもまた、かけがえのない人財としての可能性を秘めており、一人ひとりが学びや気づきを体験することで、地域全体に未来を切り拓く活力が広がっていくと信じています。

# 第八章

## 大人や社会こそ、<br>もっと変化しよう

## 「教える・管理する」から、「見守る・寄り添う・応援する」へ

ｆｒｏｇｓプログラムのベースとなる考え方や具体的な内容、そこで学んだ若者たちや、地域・大人たちのエピソード、そして私たちが培った学びのノウハウを地域や企業、教員の皆さんに広く提供するようになった経緯まで「教えない気づかせる育成手法」の可能性や歩みを書き綴ってきました。

ここまで読んでくださった皆さんは、きっとこれまでの自分自身の身近な若者への接し方について、さまざまな気づきや自問自答があったのではないでしょうか。

若者の親御さんであれば「リスクのない安全な人生を送ることが、愛するわが子の幸せ」とばかりに、過去の自分の成功体験を正しいものとして教えていたかもしれません。世間からはみ出すことを心配し「これが常識、これがフツウ！」などのアドバイスをしていたかもしれませんね。しかしこれらは、これからの時代を生きねばならない子どもたちに役立つアドバイスなのか、見直す気持ちが生まれたのではないでしょうか。

教育関係者であれば「指導要領や学校方針にあるから」と、教え子たちにキャリア指導や進路相談という名目のアドバイスをしていたかもしれません。しかし、実社会の変わり目や未来志向の変化を見る・体験することを怠っている大人が、未来のキャリアへの的確な意見が言えるのかと、矛盾に気づいたかもしれません。

もしあなたが上司であれば「早く一人前になってほしい」「会社の業績を達成するのが、いい社員」という考えから、目先の目的達成のために手っ取り早く成果を出すノウハウばかりを指導していたかもしれません。これでは、これからの企業にとって真に必要な「未来型の自立人財」を育てることは難しいと、人財育成への向き合い方をアップデートしたくなったかもしれませんね。

家のルール、学校の校則、会社のマニュアルなど……「管理する・される」価値観がよしとされる社会では、言いつけに異を唱えず、従順に黙々と取り組み、各々のルールが期待する成果をあげる若者が評価されます。

しかしその若者には、残念ながら「自分の意見」は生まれません。ルールにない意見や意志を持つと、おとなしく言いつけを守るばかりではいられなくなってしまうからです。社会のルール（と思い込んでいること）からはみ出してしまうのは、多くの子どもや若者にとっては怖いことです。ですから、生きるために思考停止する術を無意識的に身につけてしまいます。

そんな若者は、大人たちからどう見えるでしょう。「うちの子はまだまだなんだよ。自分がいないとちゃんと生きていけるか不安なんだ」、きっとそう言いたくなるのではないでしょうか。これはつまり、社会でしっかり生きていけるように「管理する・される」の価値観に若者を染めた結果、誰かが指示を出さないと生きていけない人間に育ってしまう、そんな矛盾した負のループを、大人たちが作っているということです。

非認知能力が磨かれた若者の多くが「管理する・される」社会に疑問を抱くようになります。自分自身と真剣に向き合うようになるので、リスクがあるとわかっていても「それでも、自分の道を正解にしたい！」と決意を固めることができ、枠から抜け出す挑戦も厭いません。自分で選択した学びにはむしろストイックになりますし、自ら必要だと判断すれば、難しいことにも果敢に飛び込みます。大人たちが用意した価値観を突き破り、その先にある高度な自由社会で、のびのびと生きるようになるのです。そう、本人さえその気になれば「前例なき可能性」の模索を、とことん楽しむことができる時代なのです。

そんな若者と接する時、親、教員、上司の皆さんには従来とは異なるスタンスが必要です。これまでの「教える・管理する」から「見守る・寄り添う・応援する」へと、いい意味で忍耐力が必要になるのです。

あなたは、どちらの大人でいたいですか？　この問いは「身近な若者に、どう生きてほしいか？」と言い換えることもできるかもしれませんね。

未来が激変していくことは、何人たりとも避けようがありません。そして未来がどうなるかを完璧に予測することは、誰にもできません。だから親や教師や上司が、自分たちにもわからないことを正解として教える必要なんてないのです。わからないことを恥じたり、カッコ悪いと思う必要もありません。

これからの時代に大切なのは、上の立場から答えを与えることではないのです。子どもと大人が対等にお互いの意見をディスカッションし、ともに未来を考え、自分なりの答えを見つけていくことが、求められることなのです。わからないのは、大人も子どもも同じ立場なのですから。

私の周りの若者たちと日々会話していると、テレビや新聞というマスメディアを見ている人がほとんどいません。私はこのことを、人間にとって良くも悪くもあることだと考えています。

マスメディアを見ていれば、自分の興味の外にあることでも、選り好みなく目や耳に情報が入ってくるというメリットがあります。

しかし、スマートフォンの中でSNSやアプリを見るのが中心の生活の場合、好きなジャンルの情報が効率よく集まってくる反面、興味や関心の薄い分野の情報は、ほぼ入ってこないという状況が日常になります。一人ひとりが興味関心のあることを集中的にレコメンドしてくれるという機能は、この先もますます進化するでしょうから、この傾向はさらに加速するでしょう。


つまり今の若者たちは、メディアを通じて誰もが同じ方向を向くように仕向けられる「同調圧力の強い大衆社会」の一員であることからある意味解き放たれ「多様な個の集合体が有機的につながり合う」という社会構造の変化の真っ只中を生きています。当然、これまでと異なる思考の習慣を身につけることとなり、これが価値観の変容につながっています。

この新しい情報との付き合い方にメリット・デメリットがあるというのは、先ほど示した通りです。しかし、良し悪しはさておき、大きく変化しているのは明らかですし、今の若者たちはこれまでと全く異なる価値基準で未来を生き抜こうとしています。

そんな若者たち一人ひとりの可能性を広げるには、一体どうすればいいのか。日々人財育成に携わる私なりに、今の社会を見渡し、考えたことがあります。

## 「過去に囚われたアドバイス」では、若者は耳を塞ぐ

私が常に忘れずにいるのは「10年・20年先を生き抜く若者と接する大人が、10年・20年先の未来を見ようと努力しているだろうか？」という問いです。「私の時代は……」とか、「昔はこうだった」に続いて「だから、あなたも同じようにするべきだ」などを、ついつい若者に話してしまう大人を、目や耳にする機会が少なからずあるからです。

どのように過去を生き抜いてきたかを話題にすることや、想いを共有したい気持ちの全てを否定しているわけではありません。ただ、過去に囚われて生きている人からのアドバイスは受けたくないと思うのが、若者の本音でしょう。

特に、若者はこれからの未来を生きなければなりません。過去に捉われたアドバイスしか言わない大人から、自分の未来に対して意見を受ける若者の気持ちを想像してみてください。「昔そうだったのはわかったけど、こっちに押し付けられてもね」と、聞く耳を塞ぐのも無理はありません。

現在の学校でのキャリア教育では、個人の未来設計をすることが推奨されています。勤労観や職業観を養うために、実社会の企業でのジョブシャドウ体験やインターンシップ、会社見学を推奨しており「うちの子も参加したと聞いたなぁ」という親御さんもいるかもしれません。

企業にはさまざまな個性があり、先進的で変化に富んだ企業もあれば、伝統的なカルチャーを重んじるヒエラルキー型の企業もあります。どちらにもメリット・デメリットがあり、一概に「こちらが安泰だ」「こっちはダメな会社」など言えるものではありません。

重要なのは、ただ見学して表面的な良し悪しを見ることではなく、今の社会のリアルを見聞した上で「では、未来はどうなるのか？」という疑問に、自分なりの意見を持ち、自分自身に必要な企業カルチャーや業種・職務適性などを、子どもと大人がディスカッションし、ともに考えることではないでしょうか。

これまでは、10年・20年先に進化が起きたとしても「社会や生活はそこまで大きく変わらない」という前提で、キャリア教育が設計されていました。しかし、今は違いますよね。

社会の激変の例で言うなら、iPhoneが日本で発売されたのは２００８年です。たった一台のスマートフォンが、社会や人の暮らし、常識を大きく塗り変えていったのは皆さんもご存知の通りです。

自宅の固定電話や街にあれほどあった公衆電話は、ほとんど見なくなりました。

メールやSNSでのコミュニケーションが当たり前になり、手紙やFAXの出番は激減。誰もが気軽に、写真はおろか動画まで高画質で撮れるようになり、カメラの役割や、撮影物を通じた人間同士の関わりがこれまでと変わりました。

さらにスマートフォンは、音楽や映画まで視聴できるものになり、通信機器の概念を越えました。地図はアプリでナビしてくれますし、美味しいお店が簡単に検索でき、家族の居場所もGPSが教えてくれます。

書き並べてみると凄まじいですが、こんなふうにたった一つの製品の登場で、人間の生活が次々と進化し、それが多様な分野に広がっていく時代なのです。これからは、テクノロジーがさらなるスピードで驚異的に発展するでしょうから、数年単位で大幅なトランスフォーメーション（変革）が起こることは間違いありません。

例えば、ここ数年でAIがグッと身近になりましたよね。これ以上のことが、目覚ましい速度で実現すると考えられます。

ぜひ私と一緒に、未来を想像してみてください。

例えば、みんなが電子マネーを気軽に使う時代ですから、現金の使用率がもっと下がってもおかしくありません。すると、ＡＴＭは必要なくなりますよね？　その価値観が社会に浸透すれば、銀行の支店業務は大幅に変革されるでしょう。個人資産の相談など、人間でなければできない価値を提供する方向にシフトしないと、存在意義がなくなってしまうからです。

紙媒体の見直しも進んでいますね。例えば、私もこうやって本を書いていますが、紙の本だけでなく電子書籍として出版することで、さらに広い読者に内容を知ってもらうことができるかもしれません。

最初から電子書籍のみを選ぶ著者や読者も増えていくでしょう。出版業界や新聞社などはすでにその先を読んで、マンガ作品を縦読みにしてスマホ対策をしたり、紙面の記事をコンテンツとしてネットでバラ売りしたり、逆に紙媒体ならではの付加価値を見直したりと、変革を起こしています。

コールセンター業務やホームページ制作、簡単なデザイン業務・簡易的な動画制作なども、どんどんＡＩ化が進み、テクノロジーに移行される流れもあります。

これを脅威と捉えるか、ワクワクと捉えるかは、人によるでしょう。しかしどうあがいても、人間とテクノロジーの関係が共存フェーズに突入したのは確かなことです。この変化・進化に向き合うことを避けていては、これからの時代を生き抜くことは難しくなります。

だからこそ若者に接する大人たちは、未来に必要とされる「人間ならではの強み」を本気で考えなければなりません。そこで、冒頭の問いが大きく立ち上がってくるのです。「10年・20年先を生き抜く若者と接する大人が、10年・20年先の未来を見ようと努力しているだろうか？」と。


大人の何気ないアドバイスが、未来を向いているか・過去に囚われているかで、若者が得られる生きるための勇気や知恵に、大きな質の差が出ます。

若者の多くは、身近にいる大人を信頼しますし、強く影響を受けるものです。場合によっては、将来や人生を左右します。

だからこそ、身近な大人の発言が「昔はこうだったから、あなたもこうしなさい」では若者が報われないと思うのです。


日々に忙殺されがちな大人が未来を見るためには、それなりの努力が必要です。

しかし、この本をここまで読んだあなたが「子どもたちの未来をもっとよくしたい、もっと未来を考えたい！」という強い想いを持つことは、想像に難くありません。

そこであくまで個人的な所感ですが「過去の生き方とこれからの生き方の違い」について、私の考えをお伝えします。

少しでも、未来を考えるヒントになれば幸いです。

### 1　文系↕理系▼ハイブリッド型

今までは文系と理系で分業していましたが、今後はどちらの要素も持ち合わせたハイブリッド型の人財が求められるようになります。デザインもマーケティングもプログラミングも営業もプレゼンテーションもできるけれど、その中で秀でたスキルは◯◯なんだよね、という人財です。

### 2　IQ／EQ▼IQ／EQ＋DQ

IQ（知能指数）／EQ（心の知能指数）に加えて、プラスαの要素としてDQ（デジタル知能指数）が必須スキルとして加わります。テクノロジーが進化する社会で生き抜くためには、10代前半で身につけておいたほうがいいスキルです。

### 3　正解を求める▼自分解を求める

◯と×の正解を求めることよりも、自分解を求めることが大事になります。◯と×を導くのはコンピューターの得意分野ですから、人間としては、さまざまな情報を取捨選択し、多様な価値観や倫理観の中で、自分としての解を導くことができるかが重要になります。

## 4 How to重視▼動機付け重視

今までは失敗しないようにHow to本やマニュアルを学び、どうすれば正解に早く近づけるかを、競争社会で生き延びるために身につける人が多かったですが、今後は、動機付けが重要視される社会になると考えます。「なぜあなたが?」という「Why? Who?」が大事になってくるでしょう。人と同じではなく、自分の価値を高めるという流れです。

## 5 インプット型▼トライ&エラー型

「知識が豊富で、知能を高められる人が優秀な人材」という定義が壊れつつあります。なぜならどんなに知識・知能が高くても、それを社会に活かすスキルがなければ、ないも同然だからです。自分が得た知識・知能を失敗を恐れずアウトプットし、実社会においてどう活かすかを、実践形式で習得することが必要です。つまり、トライ&エラーを繰り返す学びが重要ということです。

## 6 入口文化▼出口志向

日本では、入試や就職活動に代表されるように、入学・入社など「入口」に人生を賭けるほどのパワーを注ぎ込む社会を作り上げてきました。それはレベルの高い学校を卒業し、有名企業に就職することこそが生涯安泰とされていたからです。「入ってしまえば何とかなる」という期待があったのかもしれません。

しかし、終身雇用という価値観が、企業側も労働者側も崩壊している今の時代、若者側も、転職しながらステップアップするのが当たり前の価値観へと変化しています。

学校も例外ではありません。入学後に「この学びではないな」と感じたら、他の学校へ編入・転校することが、容易にできるようになると思われます。

だからこそ、その学校や企業で経験をどう活かし、何を身につけて出ていくかという、出口戦略が重要になるでしょう。

## 7 マネーインセンティブ▼ハートドリブン

今でこそ「いい暮らし」の定義に多様性が生まれる時代になりましたが、高度成長期の日本で生きてきた世代には、高価な家や車や装飾品などを買うために出世し、お金を稼ぐために仕事を頑張ることが美徳だという価値観が根強く残っています。

今は、一定のお金を得ることはもちろん大事ですが、お金に支配されることなく、いい距離感でお金と付き合いながら、本当に大切なものや自分の心に正直に生きるほうがWell-beingな生き方と考えられるようになってきました。

自分を押し殺して我慢・忍耐・努力だけで生きるのではなく「ハートドリブンな生き方をしているか？」が、問われる時代です。

## 8 ヒエラルキー組織▼ティール組織

ヒエラルキー組織に対して「ティール組織」や「ホラクラシー組織」という対義語が、広く使われる時代になりました。

ヒエラルキー組織とは、ピラミッド型の縦型階層構造を持つ組織のことで、経営者などを最高権力・指令塔とし、機能、権限、責任などに応じて下層に末広がりする形態です。もとは軍の組織形態が引き継がれたもののようです。

テクノロジーが発展してきたことで、個が国を越えて地球上どこにいても、つながり合えるという社会がやってきました。

どこかの国に依存し（国籍は必要ではありますが）、どこかの組織や地域に所属しないと生きていけない時代ではなくなりつつあります。

そこで、「自主自立組織」と言われる、「ティール組織」や「ホラクラシー組織」が重宝されています。メンバーそれぞれが裁量権を持ちながら、上下の関係ではなく「横の連携」で成り立つ自律的な組織体です。

これからの時代、一人が数社と契約して仕事をするようなことが一般的になるかもしれませんし、日本だけでなく同時に数カ国の企業と契約して仕事をするようになるかもしれません。メタバース経済が有効的になれば、それこそバーチャルな環境で自由に働くことが珍しくなくなるのも、そう遠くないかもしれません。

## 9 最終学歴重視▼挑戦学習重視

「10年前に○○大学を卒業した」というような経歴は、ほぼ意味を成さない社会に突入しています。変化・進化が早すぎるこの時代に、最終学歴の重要度は下がっています。それよりも、常に新しい変化に気づき、自ら進化しようとリスキリングする姿勢、すなわち「挑戦学習」が重視される時代に移り変わっています。

## 10 〜べき、常識論▼多様性と個人の自由

こうあるべき、普通はこうだから、世の中の常識だろ、男気はあるのか、女の子なんだから、日本人だから、など……日頃から無意識に口にしている言葉はありませんか？

あなたはそれを、モラルや思いやり、他人への配慮などから口にしているのかもしれません。その心がけ自体は悪いものではありませんが、個々の多様性や自由まできちんと考えての発言だったでしょうか？

それらがどんどん解放されていく時代に、あなたが口にする「〜すべき」が本当に必要な価値観か、口に出す前に今一度考えてみてください。

以上です。

この1〜10の中には、あなたのこれまでの常識とは、真逆の価値観もあったかもしれません。

それも含めて、この変化・進化する時代の新しい価値観とこれまでの自分自身を、若者と身近に接する大人こそ見つめ直す必要があります。

そして、若者と接する時には、ぜひこれらを意識してみてください。

若者との間に新しい関係や気づきが生まれ、これまでになかった何かが見えてくるかもしれませんね。

| | | |
|---|---|---|
| 文系↔理系 | ▶ | ハイブリッド型 |
| IQ/EQ | ▶ | IQ/EQ+DQ |
| 正解を求める | ▶ | 自分解を求める |
| How to 重視 | ▶ | 動機付け重視 |
| インプット型 | ▶ | トライ＆エラー型 |
| 入口文化 | ▶ | 出口志向 |
| マネーインセンティブ | ▶ | ハートドリブン |
| ヒエラルキー組織 | ▶ | ティール組織 |
| 最終学歴重視 | ▶ | 挑戦学習重視 |
| ～べき、常識論 | ▶ | 多様性と個人の自由 |

## 地域の大人たちこそ、「公教育のスラム化」と向き合おう

また、若者を語る時に見過ごせない問題として、教育の基盤となる場所、つまり学校が抱える危機があります。

国民の三大義務の一つである「義務教育」の正確な定義を、大人である皆さんはご存知でしょうか。以下に引用しますので、じっくりと読んでみてください。

**憲法26条**

1項　すべて国民は、法律の定めるところにより、その能力に応じて、ひとしく教育を受ける権利を有する。

2項　すべて国民は、法律の定めるところにより、その保護する子女に普通教育を受けさせる義務を負ふ。義務教育は、これを無償とする。

つまり義務教育とは「子どもが」教育を受けなければならないという義務ではなく、「親が」子どもに教育を受けさせる義務だということです。だからこそ「義務教育は無償」と憲法で

も保障されています。
そこで、多くの人は自分が住まう自治体にある小中学校に子どもを通わせますが、必ずしも地域の学校に通わせなければならないということではありません。教育を受けさせる義務を怠らなければ、居住地域内外にある「有償教育」に、自分たちでお金を支払って通わせても構わないのです。

この教育変革期の時代に起きているのが、民間の教育機関の新たな誕生です。
日本各地で想いやコンセプトのある新設の学校が、どんどん生まれています。それを受けて、優秀で想いのある教員ほど、条件や教育環境が整っている新しい教育機関に、引き抜きも含め、転職するケースが増えています。経済的に余裕のあるご家庭の中には「お金をかけてでも、地域の公教育ではなく、新しいコンセプトの教育機関に子どもを通わせたい！」という理由から、公教育を避ける動きも生まれています。

これを、あなたはどう捉えますか？

一見すると、国民に新たな選択肢が増え、想いのある教員の働く環境が整い、子どもたちにとっても質の高い教育が受けられ、いいこと尽くしのように見えるかもしれません。しかし、長期的な視点で捉え直すと、現在の格差社会が分断社会へまっしぐらに進む可能性が極めて高いとも言えるのです。

この風潮が続くと、家庭の経済格差が教育格差に露骨につながるようになるでしょう。すると、海外のどこかの国のように、公教育のスラム化に歯止めが効かなくなります。格差があるのが当たり前の分断社会、それだけは避けねばなりません。どんな子どもでも良質な育成環境に身をおける社会を創らなければ、少子化が加速する日本に未来はないと考えるからです。

そのためには、学校自身も変わる必要があります。前例に縛られた古いままの教育内容では、ますます先生や家庭は公教育から離れていくばかりです。

そして、価値観を刷新しないといけないのは、地域の大人たちも同様ではないでしょうか。「義務教育だから仕方ない」「私の時はこうだった」など、過去の経験からくる思い込みだけで済ませずに、公教育の危機をいかに食い止めるか。それぞれが、この問題に向き合う必要があると考えています。

## 問題を後世に先送りする大人でいるのは、もうやめよう

「温故知新」という諺は「過去の事柄から学び、新しい知識を得る」という意味ですが、非常に深い言葉だと感じています。

過去と向き合い、人間としての普遍的な価値観や、未来にも変わらず残したい大切な文化を理解すること。

それと同時に、変えるべき部分をしっかりと見極め、時には今を壊すことすら恐れずに、新たな進化を遂げていく。その両方をやるという姿勢だからです。

「新たな進化」と口で言うのは簡単ですが、実際に現在の状況を打破し、進化・変化を続けていくには相当なパワーが必要です。

そのための方法を見つけるだけでも大変ですし、誰かが反発することもあるでしょう。自分だけの力ではどうにもならないこともたくさんあります。

それならば、古きよき時代の幻想に浸り、残りの人生を変わらずに過ごすほうが楽じゃないかと考える大人は大勢います。

それどころか、社会をよりよい方向へ変えようと努力する若者を「若いのに頑張るよね〜」「意識高い系」と、同世代ですら他人事のように遠巻きに見ているのが今の日本の現状です。

しかし、あらゆる分野の出来事がこうまで目まぐるしく変わる時代に、社会が若者を「君のような若者にはどうせ無理だよ」とか「無難に生きていくほうが安泰だよ」と可能性の芽を摘んでしまうのは、あまりに無責任ではないでしょうか。

また、若者の身近で影響を与える大人たちが、新しい価値観を学んだり、さらなる挑戦をしないのでは、彼らの未来はどうなるでしょう。

日本では、歴史教育が大昔の縄文時代や平安時代から始まるせいか、近代史への学びが手薄になっていると感じます。近代日本がどのような思想で作られ、先人たちが切り拓いてきた理念が、今を生きる自分のルーツやアイデンティティーにどうつながっているかに興味関心を持つ人が少ないのは、そのせいではないかと思っています。

また、文部科学省方針が変更され、学校で金融教育がスタートしたのもごくごく最近の話で、お金について学ぶ機会を損失したまま生きている人がほとんどです。お金といえば、親から貰ったお小遣いや、アルバイト代を使うくらいしか機会がなく、子ども時代や学生時代に「経済」に関心を持つチャンスがありません。
これでは、「お金を理解している」とは言えず、目先の楽しさをただ消費しているだけです。
しかし、多くの人がそのまま大人になり、同じようにお金と関わり続けます。
だから、国家に対して具体的な疑問が抱けず、政治は政治家に任せっぱなしという状況が続いています。そして、大小さまざまな解決すべき課題を、未来に先送りしています。

若者たちがこんなふうに育ってしまうのは、若者たちの自己責任なのでしょうか。「最近の若者は○○で、私の時代は○○だった。」などと、いつの時代にも耳にするトークを繰り返していていいのでしょうか？

社会の課題に気づき、批判や愚痴をこぼすわりには何も行動しない大人たちや、悪気はないものの、日々家庭や仕事など目の前のことをこなすのに精一杯で、見て見ぬふりして社会創りに参画していない大人たちの背中を見た若者はどう感じるでしょうか。その地域に愛着を持つでしょうか。

そこで、重要なのが人財育成です。それこそが、10年・20年先の未来そのものなのです。若者・地域・未来への想いを抱いて、この本を手に取ったあなたには、この意味が理解できるのではないでしょうか。

「問題を後世に先送りにする」、そんな大人でいるのはもうやめませんか。

自分の身近にいる若者たちが、未来を生き抜く力を育むためには、それぞれが住む地域の未来を切り拓くためには、大人である自分に、一体何ができるのか？　どう動き出せばいいのか？　どんな姿勢で接することが望ましいのか？　どんな連携があるか？　どんな機会を与えられるか？　自分自身が何を学ぶか？

一人ひとりが、今自分にできることを考え抜き、果敢に挑戦するヒントがこの本の中に見つかれば幸いです。未来に向けて試されているのは、むしろ私たち大人のほうなのですから。

## おわりに

ここまでお読みくださり、誠にありがとうございました。きっと、皆さんもハッとする気づきが、何かしらあったのではないでしょうか。もしそうであれば、幸いです。

読書体験は素晴らしいものですが、読んでいる最中は燃えていた心が、時間が経つにつれまた元に戻り、いつもの日常に戻ってしまったりするものです。しかし、それでは少しもったいないですよね。

そこで、日頃からできる「行動・思考を未来へと向けるための習慣」のヒントをまとめました。よろしければ、ぜひ参考にしてみてください。

### 1　15歳の若者が、25歳や35歳になった時の社会をイメージする。

加えて、さまざまな分野での未来予測をしてみるのもいいでしょう。イメージに、正解・不正解はありませんから、自由に想いを巡らせてください。ふと思い立った時に短時間でもやってみましょう。

さまざまな世代の人にやっていただきたいですが、50代以上の方には特に大きな効果が出るかもしれません。自分自身の「老後」という視点しか持てないと「変化や進化なんていらない。過去の思い出に浸って、のんびり過ごせればいいじゃないか」となってしまいがちです。けれど、そこに自分の孫や子どもが加わるとどうでしょうか。浮かんでくる想いが、全く変わってくるかもしれませんね。

最初は「止まらない少子高齢化、環境問題、拡大する貧富の差……このままの日本ではいい未来が見えない！」など、不安ばかりが浮かぶかもしれません。

しかし繰り返しイメージすることで「未来を変えるにはどうしたらいいだろう？」「子や孫にとってステキな未来とは、どんなものだろう？」と徐々に前向きな気持ちが湧いてくるはずです。「逆に、変えてはいけないものは何だろう？」などの視点も生まれてくるかもしれません。

そのイメージを、お子さんやお孫さんと話し合ってみるとなお興味深いですよ。その時は、対等に意見を交わし合うことを心がけてください。

## 2 進化と変化を恐れず楽しむ！

数十年というレベルではなく十数年または数年先に大きな社会構造の変化が起きてもおか

しくない時代です。

国を超えたメタバース（仮想空間）経済圏が生まれ、現金より電子マネーが普及し、NEXT資本主義が身近に実感できるようになりました。そしてこの先、脳科学の発展から人間の意識がある程度コントロールできたり、身体拡張のためのテクノロジーの活用が一般的になったりと、医療が大きく変わると言われています。

皆さんの身の回りにも多くの新しいものがすでに現れていますよね。だからこそ、それを頭ごなしに拒絶するのでなく、自分自身でよく考え、吟味し、時には積極的に取り入れることに取り組んでみましょう。

話題の新しいものを、若者たちと一緒に楽しんでみるのもいいですね。日常の根本が変化していく時代だからこそ、変化や進化を楽しみながら対応する大人の姿に、若者たちは何かを感じるはずです。

## 3　自分の固定観念や枠組みを一旦壊してみる！

あなたの中に、こんな声はありませんか？

「自分はもう○歳だし……」「男だから男らしくしなきゃ（または、女だから女らしく）」「フツウでいることが安心」「そんなの無理に決まっている」「機械はよくわからん」「新しいことは面倒くさい」などなど……。

今日からはそれを「本当にそうだろうか？」と、あえて疑ってみましょう。すると「この常識が、自分の可能性に蓋をしている！」と気づき、固定観念を打ち破れるかもしれません。

人生１００年時代と言われるようになりました。つまり、現在50歳や60歳の人でも、まだあと40～50年の人生があるということです。それなのに、長寿の未来に想像力が及ばず、50歳を過ぎるともう「老後」「余生」という意識でいる人が多いのではないでしょうか。

でも58歳で初めてパソコンに触れ、プログラミングを学び、82歳の時にApple ＣＥＯから「世界最高年齢のアプリ開発者」と紹介されるまでになった若宮正子さんの例があります。また、宮古島出身のジャズシンガーで87歳で初のアルバムをリリースし、88歳で全国ツアーを開催した齋藤悌子さんの例もあります。

要はチャレンジするのに、年齢は関係ないということです。生まれ変わるぐらいの人生転換だってできるかもしれません。自分を縛る常識に気づくことが、大きな自分改革にきっとつながっていきますよ。

## 4 テクノロジーの進化に抵抗するのではなく、人間としての強みを磨く！

「ＡＩに人間の仕事が奪われる」と敵視する人は多いです。しかし肝心なのは「ＡＩと人間の違いを冷静に見つめ、人間にしかできない強みを伸ばしていく」という、人間とＡＩの建設的な関わり方への視点を持つことではないでしょうか。

人財育成にも関わりの深い大事なことなので、本書でも何度もお伝えしてきましたが、テクノロジーの急速な発展で、○×の正解を求める機能は、どうあがいてもＡＩのほうが人間よりも上です。だからこそ、全員同じ正解を求める教育から、人間しかできない強みをより伸ばし育む教育に、教育現場や家庭での育成観が進化する必要があります。

「自分たちが受けてきたこれまでの教育と、未来に必要な教育の違いは何だろう？」などを、自由な発想で思考してみましょう。

正解はすぐに出ないでしょう。しかし、正解のないことを粘り強く模索し、自分だけの答えを見つけることが、人間ならではの強みなのかもしれません。

## 5 誰かが変えてくれるだろう、から脱却する！

一人ひとりが未来に責任を持ち、できることに取り組む社会に変わりつつあります。つまり「組織から個へ」がますます問われる時代に突入しています。

過去を振り返ると、日本には名将軍がいたり、名首相がいたり、企業でも世界に名を馳せる名経営者がいたり、強いリーダーシップで国や組織の未来創りの方向を示してくれていました。ヒエラルキー（軍隊形式）型でトップの命令をトップダウンで従わせていく手法が、急速に国づくりをする段階の時には適していたのかもしれません。

しかし、テクノロジーの進化により、激しい変化が起こるこれからの時代には、今までのやり方は合うとは限りません。そんな未来を、これまでのように一握りの人たち（政治家や経営者・資本家など仕組みを変える力のある人）に任せっぱなしにしていいはずがないのです。

隊列を組んで進む蟻は、先頭がぐるぐる回り始めると全体が同じ場所で永遠にぐるぐる回ってしまうそうです。若者たちが「回る蟻」に育ってしまっては、これからの未来を強く生き抜けないかもしれません。

だからまず、未来を他人に任せっぱなしにせず、自ら問題意識を持つことを、大人であるあなたが実践してみてください。きっと、何も考えずに前の人についていくよりも、ワクワクする生き方が見えてくると思います。

今までよしとされてきた社会構造がいよいよ変革期に突入し、教育に限らず、政治も経済も過去のやり方から離れ、変わらざるを得ない時期がやってきました。

今変わらなければ、世界の中で日本の存在が希薄になっていきますし、地球的な観点で見ても持続可能ではありません。もう、目を閉じたままではいられないのです。

ただ、これまで築いてきたもの全部が壊れてしまうのだと嘆き悲しむ必要はありません。大切にすべきものは守り、変わる部分は変えていく、それを冷静に見極める「温故知新」の精神はなくなるものではありません。

問題なのは、それを誰かに任せっきりにして自分の頭で考えないことではないでしょうか。過去の経験値からでは予測不能な未来を生き抜くためにも、何が問題なのか、どこをどう変えるべきかを、大人も若者も一人ひとりが自分ごととして考動することが重要です。

私たちも、常に過去を見直し未来に臨み、ｆｒｏｇｓプログラムを謙虚かつ斬新に進化させていきたいと考えています。

そしてこれからますます、15年かけて蓄積してきたこのノウハウを、多様な地域に暮らす人のために全力で開放していくつもりです。人財育成には多大な手間と時間がかかりますが、目先の利益直結とはまた違う大きな視野を持てる大人がどれだけいるかが、地域の未来や日本の未来に大きく影響すると考えるからです。

本書を読むだけにとどまらず、人財育成を通じて一緒に未来を創りたいという気持ちが生まれた人は、ぜひ一度ＬＥＡＰ　ＤＡＹなど地域での活動に気軽に遊びにきてください。がむしゃらに未来に挑戦するｆｒｏｇｓ生たちの姿や、私たちの人財育成の現場を、ぜひご覧いただければと思います。

最後になりますが、今までｆｒｏｇｓプログラムの想いに共感してサポートしてくださった全ての方々に、多大な感謝を込めて。ｆｒｏｇｓプログラムの今日の発展、そして本書は、皆さんとの出会いがなければ、生まれないものでした。

これからも私たちは、人財育成を通じて、ステキな未来を切り拓いていきます！

# frogsを応援したい！ と思ってくださった方へ

https://www.ryukyu-frogs.com/donation

**琉球 frogs への**
**寄付はこちら**

https://donation.yahoo.co.jp/detail/5380001

**全国 frogs への**
**寄付はこちら**

琉球 frogs の活動に共感し寄付してくださった方々を、
一緒に未来を創る仲間という意味を込めて
琉球 frogs Buddies（バディーズ）と呼んでいます。

一人でも多くの若者が地域の「枠」に囚われた「井の中の蛙」から脱却し、
世界という大海で通用する次世代リーダーになる環境づくりを。

クレジットで毎月寄付と「公益財団法人みらいファンド沖縄」を通じた
税控除を受けられる寄付を選ぶことができます。
全国各地 frogs への寄付は、Yahoo! ネット募金から
V ポイントやクレジットカードで寄付ができます。

育成スキルを
身に
つけたい！

https://www.frogs-corp.jp/

**株式会社 FROGS 公式 HP**

全国のfrogsプログラムへのお問い合わせ、
企業研修や、ミライアカデミー、各種育成スキルを身につけたい！
などのお問い合わせはこちらから。
まずはお気軽にお問い合わせください！

【著者プロフィール】

**山崎暁**
**株式会社 FROGS 代表取締役 / CEO**
**All-frogs General Organizer / LEAP DAY for Japan 実行委員長**

東京都葛飾区生まれ。明治大学卒。
上場企業で事業推進やグループ人事統括を経験した後、沖縄の起業家との出逢いをきっかけに、2008 年沖縄移住。沖縄在住の学生にアントレプレナーシップを中心とした非認知能力を育む人財育成プログラム「琉球 frogs」を推進。「人財育成を通じて未来を創る」という理念のもと、2017 年 9 月 株式会社 FROGS を設立し代表取締役 / CEO に就任。
2019 年から「常陸 frogs（茨城県）」「Ezo frogs（北海道）「宮崎 frogs（宮崎県）」など全国にプログラムを展開。官民問わず様々な教育団体や行政・企業とも連携し、人財育成を通じて地域や日本の未来を創る都市型カンファレンス「LEAP DAY for Japan」を年々規模拡大し開催。2021 年グッドデザイン賞受賞。2018 年 10 月より経済産業省主催「地域キーパーソン会議」構成員。2019 年 2 月 中小企業庁「創業機運醸成賞」を受賞。
2020 年 4 月より沖縄県「多様な人材育成に関する万国津梁会議」委員を 2 年間務める。iU 情報経営イノベーション専門職大学客員教授。おきなわスタートアップ･エコシステムコンソーシアム理事。日本の未来を担う人財育成に邁進中。

教えない勇気　～非認知能力を磨く沖縄発・frogsプログラム～

ISBN：978-4-434-33950-9
2024 年 7 月 1 日　初版発行

著　者：山崎暁

発行所：ラーニングス株式会社
〒 150-0036　東京都渋谷区南平台町 2-13 南平台大崎ビル 3F
発行者：梶田洋平

発売元：星雲社（共同出版社・流通責任出版社）
〒 112-0005　東京都文京区水道 1-3-30
Tell(03)3868-3275